G000153898

Le passé infini

FLORA GROULT | *ŒUVRES*

Flora Groult

Le passé infini

Éditions J'ai Lu

A Zoé

© Flammarion, 1984

Et maintenant, tu es mort. Tu trouves que c'est malin? Si tu savais à quel point cela me gêne de ne plus..., de ne plus pouvoir te parler tout simplement. C'est vrai, ce n'est pas sous prétexte que nos échanges étaient espacés, on se sentait proches à jamais, n'est-ce pas? Enfin cela me gêne. Non, c'est pire, cela me manque. *Toi* me manques. Tu l'avais peut-être oublié, moi aussi d'ailleurs, mais malgré tout tu étais comme mon bras, une espèce de bras gauche, le moins à vous des deux, le moins utile, un morceau de soi cependant. Ce n'est pas que la vie me semble finie, loin de là, ne va pas croire des choses, surtout. Mais je regarde devant moi ce qu'il me reste, je regarde cette vie et je la trouve grise... Juste la couleur que je me suis interdite, grise. T'aurais-je parlé ainsi de ton vivant, mon pauvre vieux con de mort, aurais-je prédit l'effet qu'allait avoir sur moi ton absence définitive, tu aurais feint de ne pas y croire, tu aurais pris ce visage persifleur que je n'ai jamais aimé et laissé tomber une petite phrase du genre : « S'il en était ainsi, tu ne serais pas partie. » J'étais habituée à tes petites phrases sans appel. Quand nous étions ensemble, tu as passé ton temps à me remettre à ma place par leur truchement, et moi presque le même temps à accepter d'y rester. Tu aimais écorner avec un air d'innocence l'unité de notre vie. Mais tout aurait pu être autrement. Il eût suffi de si peu de chose... Que tu m'aies fait moins peur par exemple, que je ne me sois pas laissé prendre plus d'une fois à cet air d'innocence. Ah! si je me mets à compter mes erreurs...

Je me souviens, quand j'étais enceinte, j'aurais voulu pouvoir poser mon paquet de ventre, cinq minutes, rien que cinq minutes à côté, par terre, et je promettais « crachi-jura », comme on disait à Sainte-Clotilde, de le reprendre ensuite. Maintenant je n'ai plus peur, plus peur du tout, Thomas, depuis que je t'ai quitté et, si tu pouvais revenir juste cinq minutes, je m'engagerais à te laisser repartir à ton sale néant. Mais tout deviendrait clair, il ne m'en faudrait pas beaucoup pour mettre deux trois choses au point, je le sais, deux trois choses qui simplifieraient ma vie de vivante et ne compliqueraient pas ta vie de mort.

Quand j'étais enceinte! Bien avant que je ne le sois, avant même que je ne te connaisse, j'avais décidé que ma fille – j'ai toujours été sûre que cela serait « ma fille », je ne me voyais pas faire un homme –, que ma fille s'appellerait Evangéline, comme dans *La Case de l'oncle Tom*. C'était bien son nom, n'est-ce pas, à la petite qui avait des boucles et pitié des pauvres nègres? Tu n'avais pas voulu tout d'abord, mais j'ai tenu bon. Tu cédais au fond quand on tenait bon. Comment ne m'en suis-je jamais vraiment aperçue? C'est parce que je t'aimais, pardine! Il n'y a rien qui complique les choses comme cela. Qu'est-ce que je t'aimais! Non, je ne dois pas dire « qu'est-ce que », je sais bien que je me l'interdis, même quand je me parle à moi toute seule. Comme je t'aimais! Combien fut long le temps où j'eusse pu t'aimer encore!

J'ai fini par changer d'avis au sujet d'Evangéline.

6

On a le temps de gamberger en toutes directions au cours des mois vécus avec son ventre. Pour un peu, à la fin du parcours, j'en serais arrivée à choisir un nom comme « Eveil de l'Intelligence » ou « Fleur de la Passion Heureuse », de ces noms-poèmes que l'on rencontre dans les romans de l'ancienne Chine. Mais déjà, même avec Evangéline, j'allais étourdiment faire un sale coup à mon enfant, moi qui ai si souvent souffert de m'appeler Iris, un prénom à la sucre que mon père a insisté pour me donner sous prétexte qu'à vingt ans, dans une soirée, il avait été ébloui par une fille... et en plus elle avait les yeux violets, la fille – enfin Victor *dixit*. Il n'avait pas eu le temps d'en tomber amoureux, elle avait disparu après leur première valse. C'était peut-être le fox-trot ou le charleston, au fond. Toujours cette tendance des enfants, même adultes, à faire appartenir leurs parents au Second Empire. Quoi qu'il en soit, Iris, Espérance, Véronique, voilà de quoi on m'a affublée au départ. Bouquet garni s'il en fut, et je n'ai même pas les yeux violets.

J'en ai souvent voulu à mon père. C'est drôle, je n'arrive pas à le nommer autrement que « mon père », mon père, ou bien Victor, jamais papa. En fait, j'aurais dû en vouloir à maman, plutôt, d'avoir accepté de me donner comme l'esprit ou le corps d'une autre, une autre dont lui, Victor, avait rêvé. Ce n'était pas tellement son genre, à Véra, de montrer de la bienveillance pour une idée qui n'était pas sienne. Avait-elle eu son quart d'heure de soumission avant que je ne la connaisse? Elle s'est bien gardée, elle qui m'a raconté si méticuleusement sa vie et ses aventures, de m'éclairer sur ce point. Ce n'est pas l'image qu'elle désirait donner d'elle-même. Aimer quelqu'un jusqu'à lui céder? Ah! non, pas Véra. Car, quand nous nous sommes connues elle et moi, il y avait longtemps que maman avait renoncé à s'appeler Véronique. Avec ce qu'on lui avait donné, elle s'était fabriqué un prénom à son goût, comme on se fait raboter le nez. Véra avait toujours été pour le sur mesure.

Mais revenons à toi, Thomas, à toi que j'aimais jusqu'à te céder, jusqu'au bout de moi. Ah! bande de vaches à toi tout seul, comme j'ai tout misé sur toi tout seul, Thomas. J'en tremble parfois au centre de mon corps en y pensant. Je ferme les yeux à peine, et tu es là, l'homme de mes dix-huit ans, tout vivant et beau et mince, avec ton air déférent et ironique, ton air bien élevé d'office et – on ne fait vraiment pas ce que l'on veut avec les souvenirs – tu me donnes en montant l'escalier de notre appartement, ran, dans les fesses, tu me donnes un grand coup cavalier qui cadrait mal, je te promets, avec ta distinction naturelle. Dans les fesses! Je n'en revenais pas. On allait déjeuner avec Victor-Véra, on était juste fiancés – ça existait ces mots-là dans les années 50 –, sans aucun signe apparent, il faut bien l'avouer, je me prenais pour un camélia fragile, et un homme qui vient de vous offrir une bague vous assène, ran, une grande bourrade, comme ça, sans prévenir, juste dans la zone interdite. Je n'ai jamais voulu penser à mes fesses. C'est le dos de moi que je n'estime pas, le rond inévitable et qu'il faut oublier. Je n'aime que les fesses qui n'existent pas, ou les fesses des Noirs, hautes et impertinentes.

Mais où me suis-je emmenée avec mon histoire de cul? Ça y est, je t'ai perdu. Et je te voyais si bien. Tu étais là tout vivant, je te promets, Thomas de moi, de mon passé, Thomas, Thomas retrouvé, transparent, présent côté silence des choses, et un instant ce gris qui me tient lieu de couleur d'âme s'était estompé. Reviens, reste, non, non, je n'ai pas fini.

Véra t'a toujours bien aimé. Elle appréciait les gens élégants qui ont les poignets minces et les jambes aussi.

– Il a des chevilles de cheval de race (comme si les chevaux s'offraient des chevilles... Mais ça, c'était Véra...), m'a-t-elle dit quand elle t'a regardé « sérieusement » pour la première fois. Et sa mère est parfaite. C'est important, les mères d'hommes.

Dans d'autres circonstances, Véra eût été aussi affirmative à l'égard des mères de femmes. Il s'agissait avant tout de rendre clair que les gens de sa trempe à la mienne de mère imprimaient leur sceau sur leurs enfants et que ceux-ci en restaient marqués à jamais – cela serait bien plus plausible de dire « à toujours ».

Autant, dans ces conditions, que l'empreinte soit de qualité.

Elle n'avait pas tort, Véra. Ma fille a-t-elle quelque part son fer rouge, elle aussi? Je l'espère. Valentine, ma préférée à moi-même, mon amour même quand elle ne m'aime pas. Merde, comme je l'adore aussi celle-là. On s'en sort pas, tu vois bien.

Victor, lui, n'était pas très content quand j'ai annoncé ma décision de t'épouser. Il avait beau être peu préoccupé des autres – à l'époque il écrivait son livre, cela le rendait encore plus abstrait –, il est redevenu en un rien de temps un père à part entière, et noble en sus :

– Un étranger?

Quiconque n'avait pas un peu de sang irlandais ou à la rigueur breton était un étranger pour Victor. Alors, un pur Latin comme toi... Lui-même ne l'était qu'à demi, irlandais, et du côté qui compte le moins, du côté de sa mère. Il ne pouvait donc pas s'énor-

gueillir d'un de ces noms portés par ses ancêtres :
O'Hara, Kavanah ou Moyniham, ces mots délicieusement imprononçables qui sont en eux-mêmes
toute une histoire, mais c'était la moitié celte qu'il
chérissait le plus en lui.

– Un étranger, et beaucoup plus âgé que toi.

Comme Victor et Véra n'avaient que deux ans de
différence, plus de dix ans d'écart cela lui paraissait
tout simplement impraticable.

– Et, en plus, il a déjà été marié et il a un petit
garçon. Qu'est-ce que tu vas aller faire à t'occuper
de l'enfant d'une autre et qui l'a abandonné? C'est
une très mauvaise hérédité pour un enfant d'avoir
été abandonné par sa mère.

Chacun a sa réponse à tout. Pour Victor, c'était
l'hérédité.

Pas besoin des discours génétiques de mon père.
Je me le demandais bien, moi aussi, ce que j'allais
faire avec un môme de sept ans sur ou même dans
les bras. Mais s'arrête-t-on d'aimer un homme parce
qu'il a un môme de sept ans à côté de lui?

– D'ailleurs, un garçon comme Thomas, qui se
marie à vingt ans avec une femme qui en a presque
trente, ça aussi c'est une bizarrerie à prendre en
considération dans l'hérédité..., continuait Victor. Je
me demande si ta grand-mère serait d'accord.

Victor parlait toujours de sa mère, qui était morte
depuis longtemps, comme si elle se trouvait dans la
pièce à côté. Je tiens peut-être de lui cette faculté de
parler aux gens dans la pièce à côté de la vie. Merci
pour ça, Victor.

Mais, comme plus tard avec toi au moment
d'Evangéline, j'ai tenu bon. J'ai dit : je l'aime, et ça a
marché. Victor avait toujours été très timide devant
les choses et les mots de l'amour. Ils ont des
couilles, les hommes, bon, on est là pour le savoir,

on n'a rien contre, mais il leur manque... Enfin, d'après mes propres observations, il leur manque parfois... Ils n'ont pas toujours du courage devant les raisons du cœur. Alors ils cèdent d'un coup, ils ont presque peur. Ça continue à les gêner, les femmes. Je sais, même moi aux yeux de Victor, j'ai toujours dû être une sorte de sorcière miniature, quelqu'un dont il faut se méfier parce que, de par sa féminité même, elle détient de sombres pouvoirs. Pour Véra uniquement il a fait une exception. Ma mère, à ses yeux, est restée toute sa vie une impératrice régnante.

Etais-je cela pour toi, une sorcière, Thomas? Je ne crois pas. En ce qui te concerne, les femmes pouvaient sans dommage être considérées comme des esclaves. Mais des sorcières, non. Il faut dire que tu as été élevé par une femme seule et qui t'aimait. Tu as été beaucoup aimé, homme de peu de foi.

C'était bien, le mariage, notre mariage. J'ai l'impression d'avoir souri toute la journée.

Le matin, juste avant de partir, Véra ne retrouvait pas son écharpe et, déplaçant comme elle le faisait souvent le pôle de son émotion, au lieu de se lamenter sur mon départ – elle gardait cela en réserve pour plus tard –, elle trépignait de fureur parce que la mousseline deux tons de pourpre qu'elle avait posée là, avant de se coucher, « LÀ », elle l'aurait juré devant Jésus lui-même, était partie toute seule. Et Victor, clignant des yeux : « On va être en retard, mon petit » – la phrase qu'il a le plus souvent prononcée dans notre vie familiale –, et moi, debout, les bras écartés, comme crucifiée dans ma robe pour qu'elle ne fasse pas un pli et n'osant pas me regarder dans la glace parce que je me trouvais trop frisée, nous n'essayions même pas de calmer ma mère, qui continuait à fourrager, menaçante, dans les endroits incongrus de sa chambre, une main sur son chapeau. Nous la connaissions trop bien pour aller imaginer que notre intervention serait utile. Il n'y avait rien à faire, nous nous devions d' « assister » à Véra. Véra qui jouait, comme en baisser de rideau de notre vie commune, un drame en un tableau afin que l'on puisse en rire, le moment venu, de cette mousseline envolée, et puis surtout qu'elle n'ait pas là, tout de suite, à essuyer une larme pudique qui n'épargnerait pas son rimmel. Très peu pour Véra les petits chagrins hésitants. Non, plutôt les torrents romantiques sur commande : « Levez-vous, orages désirés », mais quand j'en donnerai l'ordre.

Le seul moment que je n'ai pas vécu avec joie tandis que je me préparais à aller vers toi, mon immense ancien amour, c'est le voyage en voiture, en route pour cette église américaine que nous avions eu tant de mal à dégotter, la seule église dont le pasteur, musclé comme un joueur de base-ball, ait accepté de nous marier malgré ton divorce et qui allait nous offrir du coca-cola dans son bureau avant le service.

Je m'étais raconté que, dans la voiture, mon père me dirait quelque chose d'inoubliable et de simple, comme un viatique que je retiendrais à jamais, quelque chose du genre : « Nous avons été heureux ensemble, mon petit cœur. » C'était le mot le plus tendre de Victor, « mon petit cœur », il ne s'en servait pas très souvent mais, chaque fois, cela me transperçait. Et c'est vrai, nous avions été heureux ensemble : « la trilogie », comme disait Véra, et à quel point c'était injuste de les laisser tous les deux, pour un homme. Je réalisais en un instant et trop tard – c'est bien commode de placer ces éclairs de conscience, là, quand les dés sont jetés –, je réalisais que je comprenais les filles qui restent toute leur vie avec leurs parents, juste pour ne pas les quitter à cause d'un homme.

Alors, dans la voiture ⌐rutilante et louée, bien entendu, Victor ne m'a pas dit « mon petit cœur », ni rien. Il regardait sa montre et vérifiait sans cesse que son nœud pap était droit.

Peut-être se taisait-il parce que Solange était avec nous? Ma meilleure amie à Sainte-Clotilde, c'était normal qu'elle soit ma demoiselle d'honneur. Cependant, je m'en serais bien passée. Mais Véra avait insisté pour que je sois flanquée d'une comparse. « Ça fait cérémonie », avait-elle décrété avec ce regard transparent de candeur qui ne lui était pas fréquent et me la rendait soudain si proche.

Pauvre bique en rose trop rose, avec sa petite tête brune, Solange avait l'air d'une mouche dans de la confiture de fraises. Et tu t'étais moqué de ses chaussures blanches où, paraît-il, ses pieds godillaient. Bien sûr, à ce moment-là, elle avait des pieds comme des ciseaux pointus, Solange. C'étaient les chaussures qui avaient tort. Dieu, que tu étais sévère, sensible au moindre détail qui t'écorchait l'œil, insatisfait de naissance... C'était costaud d'être reçu à ton examen, cher inspecteur-adjudant-maréchal-chef de mon ancien cœur.

Tu ne l'aimais pas, Solange. Aime-t-on jamais la meilleure amie de sa femme? On a été trompé avec elle d'avance sans l'avoir su, car les premières amitiés sont vibrantes et absolues comme l'amour. Et Solange, qui pour des raisons comparables avait éprouvé dès le premier instant une de ces aversions spontanées et sans appel, te considérait de son œil le plus sombre. J'aurais pu y lire beaucoup de choses dans ses yeux, mais je m'en gardais. Se souvient-on de sa meilleure amie quand on est amoureuse?

Il me semble que je n'ai pas dit un mot à la mienne ce jour-là. Lui ai-je même dit au revoir? Mais, le lendemain, quand j'ai envoyé un message à maman, parce que je commençais déjà à les sentir loin de moi mes petits parents abandonnés, quand j'ai écrit que je les aimais tous les deux, là-bas, dans mon autre vie interrompue – et surtout, surtout, que Véra m'attende pour déménager ma chambre qui était encore *ma* chambre avant d'être annexée à son atelier de sculpture : car ma mère était un sculpteur sans sculpture, elle avait gagné son pain et sa notoriété en faisant des bijoux fantaisie, mais, ayant toujours rêvé de travailler la glaise et la pierre, elle appelait la pièce-usine où elle se tenait avec ses deux ouvriers « mon atelier de sculpture », alors, le lendemain, en écrivant ma lettre à Victor-Véra, j'ai aussi envoyé une carte à Solange. Elle qui avait pleuré sous sa couronne de fleurs quand nous redescendions de l'autel, toi et moi. Je pourrais presque encore la réciter, cette carte dans notre langage de classe, pleine de clins d'œil et de mots déformés auxquels résolument tu ne voulais rien comprendre, et, regardant par-dessus mon épaule, tu m'as demandé, agacé :

– Alors, tu ne peux vraiment pas te passer d'eux?

Cela s'appelait toujours « eux », tous ceux qui n'étaient pas toi. Même ton fils faisait partie de ce troupeau d'indésirables qui se mettaient en travers de ta route pour nous séparer. Dès la première minute, tu m'as voulue permanente et inconditionnelle.

Ton petit garçon de fils inutile n'était pas avec nous ce soir-là. Sa marraine qui, elle, avait été la meilleure amie de ta femme (était-elle à ton premier mariage en mauve praline ou en bleu comme tes yeux, celle-là? Tu ne m'as jamais montré les photographies de ce premier mariage. Je me suis souvent demandé comment tu t'arrangeais pour abolir si méticuleusement ton passé), sa marraine m'avait écrit une lettre douceâtre en forme de conseil, en me demandant d'inviter François. Elle le ramènerait ensuite à sa pension, car il était en pension, le pauvre loupiot. J'ai refusé. Je trouvais trop dur pour lui de retourner le soir dans son dortoir après avoir vu papa s'en aller avec une personne en robe blanche. Il nous fallait faire connaissance tranquillement, François et moi, sans spectateur, sans meilleure amie de ta femme en arbitre. Alors il est resté au collège, et la meilleure amie qui ne demandait qu'une occasion de m'en vouloir ne me l'a jamais pardonné. Elle avait été un peu amoureuse de toi. Allez, va, ça se sent ces choses-là. Tu n'as jamais voulu l'avouer. Il fallait ramer, ramer pour te faire raconter quelque chose sur ta vie d'avant moi. Je crois que la meilleure amie aurait aimé remplacer ta femme quand celle-ci est partie, à peine François né, pour le Nicaragua, avec un autre. Elle change souvent de pays et d'autre, ta femme. J'ai mis longtemps à ne plus l'appeler comme ça. C'est bête, ça aussi. Et tu me laissais être bête.

La réception a eu lieu chez nous « Victor-Véra ». Ça coûtait moins cher. Je me souviens, avec Véra on avait lessivé le salon quelques jours avant. Ça coûtait moins cher. Je me suis mariée pleine de courbatures. Ta mère avait fait faire une pièce montée admirable qui ressemblait à une cathédrale gaie. J'en ai gardé un coin dont le sucre s'effrite dans un papier dentelle je ne sais plus où – pourvu que je ne le retrouve jamais. Et nous sommes partis pour Glenmara. Quelle idée d'aller dans une maison froide et inhabitée dans tous les sens du terme. Mais c'était mon idée, une des seules que j'ai vraiment pu t'imposer. Je voulais attacher mon présent à mon passé, avec ce goût ébloui que j'ai toujours eu, même à dix-huit ans, pour le temps écoulé.

Ta voiture était devant la porte. Une Packard grise décapotable, un objet-oiseau tout en longueur et en douceur. Moi, j'avais été soufflée sans oser l'avouer la première fois que je m'y étais assise, dans cette voiture – Victor avait toujours eu des moyens de transport impossibles, auxquels il manquait sans cesse l'essentiel, enfin l'essence. Il a su, sa vie durant, pratiquer en seigneur l'art de l'échec. C'était un de ses jolis côtés. Le garçon qui faisait la cour à Solange, à l'époque, m'avait donné une immense boîte de chocolats, drôle de cadeau, mais je n'avais pas voulu le laisser à ce que je m'appliquais à ne plus appeler « la maison » parce que j'aime les chocolats. Et, premier geste de femme mariée, je me suis assise dessus. Je veux dire, après la nervosité des adieux – le moment était alors venu pour Véra d'en avoir pour son argent d'émotion –, j'ai dû avaler un fourré ou je ne sais quoi, et j'en ai laissé glisser un autre sous mon ensemble blanc à fleurs bleues. M'en suis pas aperçue du tout. J'avais autre chose à regarder que mes jupes. J'avais toi à regarder, toi, gandin, sanglé dans ton costume si bien coupé, conduisant d'un air qui s'appliquait à évoquer la désinvolture tandis que le ruban du paysage s'étirait et m'éloignait à jamais de mon enfance. De temps en temps, furtivement, comme à la sauvette, comme si j'avais honte de penser à autre chose qu'à celui que j'aimais, je lançais l'œil de mon esprit vers la fille à côté de toi, la fille vierge comme pas deux, qui se sentait confusément vivre les derniers instants d'une liberté dont elle ne voulait pas mesurer le prix.

Tu as bien été obligé de me produire devant la dame de la réception, avec chocolat au flanc, enfin à la fesse – ça continue le maléfice de ce mot-là –, et la vierge comme pas deux, ahurie et trahie dans la même respiration, se tenait là, dans le grand hall acajou de l'hôtel, tout interdite d'être congédiée par un regard. Oui, c'est la première fois que tu m'as trahie et peut-être une des pires, quand je me suis tournée et que tu m'as contemplée de haut en bas, plutôt de devant à dos, comme si tu avais envie de ne pas me connaître le premier soir de notre lune de miel et en cet instant de fiel, tandis que nous écrivions sur le registre un nom dorénavant commun et que ta voix assurée résonnait jusqu'au fond de la pièce :

– J'ai retenu une chambre à deux...

A deux? C'est bizarre, je ne me souviens pas du nom de l'hôtel ni pourquoi tu avais fait un détour pour nous emmener là, mais précisément, sans faille, je vois la tête bouclée, indéfrisable « extra-forte », et le sourire narquois de la dame derrière le bureau, qui savait que nous étions jeunes mariés, que j'étais vierge comme pas deux et que j'avais du chocolat sur la face arrière. Ce que je suis contente, soit dit en passant, que Valentine ne soit plus vierge du tout depuis longtemps, qu'elle ait goûté de l'homme comme on goûte du chocolat, justement, en croquant pas toujours jusqu'au bout, si on n'en a plus envie. C'est bien, tu n'as jamais eu l'occasion d'être aussi désemparée que ta mère à l'hôtel, à l'autel de ses noces, Valentine, tu ne t'es jamais sentie aussi éperdue et hésitante que je le fus ce soir-là devant l'homme que j'avais décidé être sans appel celui de toute ma vie. Comme on avait le définitif hâtif à dix-huit ans dans mon passé et comme on avait tort! Si ça tenait debout, j'aimerais dire : « Comme on avait raison d'avoir tort. »

Mais toi, Thomas, tu sais, dans mon présent, ce qui demeure vivant malgré tout et après tout, c'est qu'à Senlis – « sa cathédrale, ses remparts, son enceinte gallo-romaine, son marché le vendredi et son château de Mont et Pie... » je ne sais plus quoi, mais je sais qu'il est là, nous l'avons effleuré d'un œil flou le matin d'après –, à Senlis son hôtel du Lion Noir, oui, c'est ça, l'hôtel du Lion Noir, fut le lieu de mon sacrifice. Tu es d'accord? (Inutile de répondre.) A l'hôtel du Lion Noir, j'avais pour toi un désir éperdu sans savoir vraiment ce que c'était que le désir. Rien de plus urgent, impératif et déroutant que l'ignorance de certains appels du plus inconnu de soi-même.

J'avais lavé ma jupe au chocolat, j'en avais peut-être mis une autre, je ne sais plus, et tu ne peux pas me le dire. Tu n'en finis pas d'être mort et tu vois où ça mène : on paume jusqu'à ses souvenirs, ils sont dorénavant au froid de l'oubli. J'avais peigné mes cheveux – pas mal, à cette époque-là, mes cheveux –, on était descendus dîner et le bruit de nos assiettes, de nos verres et de nos gorges qui avalaient comblait mes pesants silences et leur raison : après avoir bu la dernière goutte de café, il allait falloir que je me déshabille devant quelqu'un dont je ne connaissais ni la couleur du caleçon ni celle du corps, ni rien, quoi, rien, et ne parlons pas du sexe. Je pensais flou à ce sujet. Je n'avais jamais vu un sexe en érection. Véra m'avait bien tout décrit depuis longtemps, elle m'avait même fait un dessin de sa plume acérée, un dessin comme exécuté par Clouet où il ne manquait pas un détail.

Mais ces mises au point-là ne font pas l'affaire quand on se trouve sur le motif.

Elle m'avait aussi acheté une chemise de nuit sexy, Véra. Le mot existait-il à l'époque? Celle-là, pour dire vrai, n'était qu'à demi sexy, mettons que c'était une camisole vaguement suggestive parce qu'elle s'arrêtait à mi-cuisses.

– Tu sais bien, les hommes aiment les choses courtes.

Véra avait toujours dû être moins pudibonde que moi; l'éducation qu'elle avait tenté de me donner le prouvait. Mais – mon sang irlandais peut-être? – les efforts de ma mère avaient agi comme un cautère sur une fille de bois. Elle n'imaginait pas, j'en suis sûre, les abîmes de mon ignorance. Sans cela, elle aurait fait encore d'autres dessins, et parlé encore plus. J'ai dû répondre à Véra :

– Ah bon, maman, les choses courtes?

Je me le promets, je n'en rajoute pas, j'étais aussi tarte que ça, il y a vingt-cinq ans et des plumes – non, ne te raconte pas d'histoires, Iris, il y a trente ans, tu m'entends? Mais la demi-sexy en question était fabriquée, pour contrebalancer sa brièveté, dans un satin si lourd que l'on ne pouvait absolument pas deviner les formes qu'elle épousait. Mon... mon futur époux, appelons les hommes par leur nom, a vu réapparaître de la salle de bains cette greluche à chair de poule, à chair de peur plutôt, et je me demande bien ce qu'il en a pensé. Moi, il me semble qu'il aurait eu toute raison de se plaindre que la mariée était trop bête. Mais je ne t'ai jamais demandé et tu ne m'as jamais dit l'effet qu'avait produit, dans l'embrasure de la porte, ta récente et timide acquisition. C'est pas sérieux d'omettre les détails. En fait, tu n'as pas pensé, tu as agi, et je te suis bien reconnaissante de ton action.

Comme cela a été bon d'emblée, n'est-ce pas? Quelle chance on a de pouvoir monter en marche dans ce wagon nommé désir. Vierge comme un bois, peut-être, la jeune fille sanglante, mais un bois avec sève, un bois qui sait brûler. Lorsque je me souviens des affreux récits des nuits de noces, dans les livres de George Sand et compagnie, je le reconnais, je te dois beaucoup dans ce domaine. Et c'est fou le bon souvenir vibrant que je garde de ton corps chaud, de ta bouche salée, de ta main glissante et de ce sexe impudent qui battait comme un pouls, ce sexe effrayant inconnu, mais plus encore désiré, pulsant, pulsant contre ma jouissante blessure, et je peux...

– Tiens? Tu es là? Je te croyais en haut.

Valentine venait d'entrer dans la pièce par la porte de la cuisine. Elle posa sur le buffet un grand bol à pudding recouvert d'un torchon à carreaux qui tombait tout autour comme une tente molle et s'exclama trop fort, avec un ton d'oracle :

– Ça va être un chef-d'œuvre. Ce que ça peut sentir bon, cette écorce d'orange! Je le répète à qui veut l'entendre, je suis toujours la reine incontestée du quatre-quarts. Tu es d'accord? D'ailleurs, qui fait des quatre-quarts à part vous et moi, maman?

Valentine prononçait toujours très lentement les deux syllabes en les séparant : « ma-man », comme si c'étaient deux mots.

– Tu crois que tu as eu raison de me rendre ménagère et pâtissière? Au fond, j'aimerais assez ne pas savoir faire cuire un œuf, c'est beaucoup plus simple quand les hommes n'attendent rien de vous.

Valentine passa deux fois ses doigts dans ses cheveux courts et frisés.

– Bof! cela ne change rien, les hommes attendent toujours de vous, s' pas?

Iris, immobile sur sa chaise, le menton dans la main, se taisait.

– Qu'est-ce qu'il y a? Je te dérange?

– Euh... pas du tout...

Valentine regarda sa mère un instant comme si elle était sur le point de dire quelque chose de grave et puis, chiffonnant le torchon, elle l'éleva lentement au-dessus de sa tête.

– La statue de l'esclavage, dit-elle, une femme et un torchon.

Gardant la pose, elle tourna légèrement les yeux vers son geste et ajouta sévèrement :

– J'ai un beau bras. J'ai un très beau bras. Ce que c'est triste.

Puis elle planta profond son index dans la pâte et suça ensuite celui-ci, les yeux clos.

– Ça lève, ça lève à vive allure.

Iris s'étira un instant, comme lorsque l'on vient de se réveiller.

– Moi aussi je vais me lever. On avait dit que l'on ferait une promenade avant le déjeuner. On y va?

Elle se dirigea vers la porte et décrocha un grand chandail mou qui pendait à une patère.

– Et au cas où Simon téléphonerait?

– Tu vas pas passer ta journée les yeux dans le flou, assise devant un quatre-quarts pour attendre le coup de téléphone d'un mari que tu viens de quitter pour aller te balader avec d'autres.

– Justement, au contraire, dit Valentine.

Elle tourna son regard vers la fenêtre.

– Il va pleuvoir d'ici cinq minutes, et en tout cas ça vaut moins le coup de se promener quand on n'a pas de chien. Je vais aller détacher Fox, ou alors on pourrait demander à Missise d'à côté si elle peut nous louer sa bête pour une heure? Elle accepte d'habitude, Missise.

Valentine accentuait exprès son accent français pour agacer sa mère. Comme celle-ci ne répondait pas, elle se pencha vers le fouillis de bottes disparates entassées sous l'escalier et en choisit une paire en feignant de soupirer fort.

– Bon, je viens, mais à condition qu'on prenne la route des rochers à l'aller, et en revenant on s'arrête au pub. Voilà ce que je préfère dans cette île : deux femmes, un chien peuvent entrer dans un bar et commander une, cinq, dix Guinness, y a pas une casquette qui bouge. C'est ça être libre. Tu te rends compte que Victor aurait pu te laisser un cottage en Arabie Saoudite? On serait bien, nous, dans le désert, à pleurer sur la vie.

Valentine se voila avec le torchon.

– Qu'est-ce que tu racontes? Qui a envie de verser des larmes sur la seule chose dont on ne peut pas se passer?

– Tu as raison, c'est plutôt sur la mort que nous aurions à pleurer ces jours-ci, mais... mais c'est plus fort que moi, j'ai...

Valentine effleura ses yeux de la main pour bien se confirmer qu'il n'y avait pas d'eau là.

– J'ai beau faire, il y a pourtant quinze jours déjà, mon père n'est pas encore mort pour moi. Non, pas encore.

– Aucune urgence, chérie.

La tête droite, les deux femmes se regardèrent un instant. Elles avaient le même vaillant sourire aux lèvres. Puis Valentine se pencha et se mit à tirer avec une application trop attentive sur son pantalon qui s'étriquait aux cuisses.

– Ce fichu froc, dit-elle, il rapetisse à chaque coup quand on le lave.

La mer était toute proche. Un vent bruissant soufflait sa musique dans la haie de rhododendrons qui encadraient la petite maison. Valentine ouvrit la porte et respira longuement avant de faire un mouvement.

– L'air irlandais. Y a que ça. Tu sens comme c'est différent?

– La première fois que j'ai amené ton père ici, il m'a dit que l'atmosphère était trop pure. Cela le saoulait sans alcool, ce quelque chose de violent dans l'air.

– Il n'était jamais content.

Valentine prit sa mère par le bras.

– Viens, on va pas s'occuper des hommes, tu veux? Je te promets que je ne dirai rien sur Simon ni sur Pierre non plus. On va parler chien ou bien fuchsia, ou du nouveau mec qu'on a rencontré l'autre soir, le frère de la dame d'à côté. Ah non, c'est vrai, c'est un homme aussi, ce mec! Tu l'aimais bien, hein? Il avait l'air d'un bouddha. Bon, parlons de nous et du climat. Les deux sujets les plus inépuisables du monde. Je commence : j'ai fait des études, l'automne se pointe dans les îles Britanniques au plus tard le 21 août, on n'a que le temps de vivre la fin de notre été irlandais.

Iris se tourna.

– Tu prends ta tête de pythie. Tu parles comme si tu avais mon âge.

– Oui, j'ai ton âge. Et même, d'une certaine façon, tu es jeune par rapport à moi.

– Ah bon, merci. Je prends tout.

Iris caressa la grille grinchue en refermant celle-ci et se mit à marcher à grands pas. « Ton pas de statue », lui disait toujours sa fille. Une statue que le temps aurait un peu alourdie sur ses fondations sans en détruire l'harmonieux équilibre. Ses cheveux blonds vigoureux juste un peu ondulés, l'œil très clair, comme une goutte d'eau bordée de noir, le visage piqueté de taches de rousseur, malgré des lignes sombres sous les yeux et quelque chose d'un peu traqué dans le regard, elle était belle sans effort.

– Oui, tu as raison, dit-elle enfin, un chien qui sentirait la mousse et qui irait se baigner à ma place.

Silence habité d'animaux sur leurs gardes. J'ai entendu une chouette crier avec une voix de femme tout à l'heure. Nuit douce et profonde comme un velours. Mais, la nuit, toutes les idées sont noires, je ne pouvais plus supporter de sentir battre les miennes. Je me suis levée, je suis passée devant la chambre de Valentine. A son habitude, elle avait laissé la porte ouverte. Elle dormait à plat sur le lit comme si elle avait été jetée là par une vague. On voit parfois, dans des accidents de la route, les gens éjectés de cette façon. Une jambe allongée, l'autre en arceau, les bras écartés, son profil nez en l'air dessiné très précisément sur la couette blanche, elle dormait avec cette intensité juvénile qui ne ressemble qu'à elle-même. Je me suis dit : « Comme elle a vingt ans! » J'avais envie que tu la partages avec moi, notre fille, Thomas, dans sa beauté inconsciente.

Je suis descendue sans bruit et je me suis assise

au bout de la table, la même table à tout faire, la table à vivre, où j'ai vu ma grand-mère Brenda coudre, rouler la pâte et écrire avec un porte-plume qui faisait grincer mes dents. Est-ce, quoique ce soit l'été, parce que le lit est tout de même glacé là-haut – entre ces draps de fil, on a l'impression d'être couché dans un lac – que je ne pouvais pas dormir? Non, c'est parce que tu viens de mourir, Thomas, et que, les nuits pensives aux idées noires, les morts sont vivants en Irlande.

« C'est l'heure profonde où dans les tombes les morts jouent... » Tu te souviens de ce poème de Montherlant que j'aimais tant quand je n'avais pas de morts à moi et que je ne veux plus maintenant réciter jusqu'au bout? Non, tu ne sais pas et tu t'en fous d'ailleurs. Mais tu ne peux plus soupirer quand je parle de ce dont tu te fous. J'en profite. C'est l'avantage des morts, au fond : ils se taisent, et notre privilège sur eux, c'est de dire ce qu'il nous plaît sans qu'ils puissent intervenir.

Je pensais là-haut, avant d'avoir le courage de descendre : tu es la personne avec laquelle j'ai vécu le plus longtemps. J'avais encore dix-huit ans quand j'ai quitté Véra-Victor pour t'épouser. Valentine avait à peu près le même âge quand elle est partie vivre chez Simon. Avec toi, j'ai quand même compté jusqu'à vingt. Cela te donne certains devoirs posthumes, non? Je déconne, t'inquiète pas. Je sais que l'on ne se doit plus rien, même pas l'attention. Mais je me sens le droit d'être irraisonnée la nuit, en County Kerry, quand la mer fait flish... flish... tout bas, au delà du champ. J'ai toujours irraisonné un peu, je prenais soin que cela ne se sache pas, et il y a encore des choses que je refuse de raconter.

Trois, quatre fois, par exemple, non, ne poussons pas, c'est lourd à porter ces souvenirs-là, disons deux fois, j'ai senti passer l'être qui s'en allait, je l'ai senti me frôler, me dire... Pour toi, rien. Seulement, au moment où sans prévenir tu filais dare-dare vers le néant, j'étais chez moi, je venais de raccrocher le téléphone, une conversation triviale avec le plombier, et je me suis dit, comme ça, tout plat : « Si Valentine a un fils un jour, j'en suis sûre, elle l'appellera comme son père. Une chance, c'est un joli prénom, Thomas! » C'est tout. C'est à peine plus que rien. Mais Christine, ta mère, oui, cela m'étonnerait de me tromper, elle m'a frôlée. Franchement, c'est la dernière chose que je demande, ces contacts-là, et je te remercie bien de n'avoir pas fait un détour par moi. Je n'ai pas peur exactement mais cela m'impressionne, quoique je ne puisse même pas affirmer que je croie aux fantômes, mais quand ça arrive, ça arrive, c'est tout. En l'occurrence, je me sentais si proche d'elle, ta mère, que le sien de fantôme ne pouvait pas m'effrayer.

Elle a flotté dans ma direction sur le chemin du départ parce qu'elle t'aimait tant qu'il lui fallait faire n'importe quoi pour te négocier une ultime protection. Elle a toujours fait n'importe quoi pour toi. « Prends mon fardeau, je peux compter sur toi, n'est-ce pas, ma petite fille? Au revoir, je suis pressée, on m'attend. » Quelque chose comme ça, m'a dit Christine, et, les yeux fermés, j'ai promis. Elle me faisait confiance, elle savait que j'aimais d'amour son enfant capricieux et autoritaire. Elle le croyait dans de bonnes mains, la chérie. Et pftt! les mains se sont ouvertes un jour.

A cause de Christine, je ne me pardonne pas tout à fait de t'avoir quitté.

Elle est morte rapido, dans son lit, en faisant la sieste. Toujours son goût de ne déranger personne. On nous a téléphoné dans l'après-midi, nous sommes partis tout de suite pour Cannes. Christine n'était déjà plus chez elle. La grande infrastructure efficace et glacée avait fait place nette et ta mère était rangée dans un endroit pour morts riches avec fleurs entêtantes et murs de satin capitonné. Sa chambre était désespérément vide. Elle l'avait quittée trop vite, on ne l'y retrouvait plus. Moi je pense que l'on devrait rester encore un petit coup chez soi dans ces cas-là. Seules sa jolie odeur de femme de luxe et, sur sa coiffeuse, son immense houppette rose, soudain ridiculement incongrue, demeuraient comme une preuve brumeuse de son ancienne réalité.

C'était le soir, on s'est couchés, tu as pris un cachet pour dormir et, à l'aube, elle est revenue chez elle, la Christine. Oui, oui, je le maintiens. Echange rapide mais très chaud. Impression exquise de sa présence comme une caresse.

Je ne te l'ai pas dit le lendemain. Tu souffrais comme un homme. Le ventre creux et l'œil froid. Mais, moi qui l'aimais en femme, son signe furtif et tendre m'a fait du bien. Je ne veux pas l'oublier.

Parfois maintenant je pense : j'aurais dû le lui dire. Pourquoi ne l'ai-je pas raconté tout de suite à Thomas? Mais tu réagissais en révolté. Tu haïssais la mort de ta mère, tu ne la pleurais pas encore. Tu refusais de regarder les employés des pompes funèbres, les messieurs mélancoliques en noir qui nous saluaient, et jusqu'aux fleurs que tu avais choisies. Christine n'avait pas le droit de mourir puisque c'était TA mère qui était là avant tout pour t'aimer, te servir, te protéger. Tu étais pathétique et odieux.

En fait, ta mère, c'était devenu un peu la mienne aussi. Cela non plus, je n'ai pas osé te le dire. Sec de chagrin ravalé, tu n'étais pas d'humeur à prêter, mon pauvre Thom. Cela n'a jamais été un de tes talents majeurs d'ailleurs, prêter. Tu donnais mieux. Mais, comprends-moi, Christine était tellement différente de Véra. Avec elle j'ai découvert une autre façon d'être aimée, maternellement aimée. Christine était calme et compréhensive. Moi, j'avais été élevée par une amazone frondeuse qui a passé mon enfance à me juger, à me condamner, à m'adorer ou à me jeter aux lions. Mais elle ne m'a jamais fichu cette chose exquise, la paix. Ta mère vous laissait être. Je n'en revenais pas au début. Et puis, elle avait tant de charme, un charme ombragé, timide, dont elle ne jouait pas plus que de sa voix que la cigarette avait brisée au bon endroit : « Ma petite fille », disait-elle. C'est évident, venant de n'importe qui d'autre, j'aurais trouvé cela mal choisi, agaçant, un mot pareil pour définir la grande charpentée que j'étais. D'elle, cela devenait comme une douce vérité. Oui, oui, je voulais bien être sa petite. On m'aimait parce que j'aimais son fils et même son petit-fils, mais on m'aimait aussi pour moi, avec une féminine tendresse. Et ses cadeaux, ses cadeaux qui tombaient du ciel comme des miracles, sans prévenir, sans raison, quel délice! Nous aussi on se faisait des cadeaux avec Victor-Véra, mais ceux de mon père étaient le plus souvent des dictionnaires, des encyclopédies, des atlas achetés d'occasion et qu'il avait envie de consulter lui-même :

– Ça nous servira à tous les deux, hein?

C'est vrai, une fois – je m'en souviens si bien de cette fois, j'ai tout de suite su que je recevais là quelque chose que je ne jetterais jamais, qu'un jour je serrerais contre moi pour qu'il me tienne chaud au souvenir –, Victor m'a donné un cache-col, ces boyaux-là ne peuvent pas s'appeler écharpe, un long machin tricoté par sa tante Mimi qui se faisait ainsi quelques sous avec « ses doigts de fée » comme elle persistait à dénommer les ceps de vigne qui se tordaient au bout de ses poignets. Et je l'ai toujours, bien sûr, ce cache-col, je m'y enroule les jours gris. Quant à Véra, elle aimait assez fêter Noël parce que c'était l'anniversaire d'un autre, un autre un peu spécial qui avait chaque année le même âge, mais le sien d'anniversaire et ceux de sa famille qui lui évoquaient le sien, elle avait tendance à laisser tomber, cadeaux inclus. Ta mère n'oubliait jamais une date et ne vous donnait même pas l'impression qu'elle attendait un merci. Elle offrait pour son propre bonheur qui était de rendre chacun heureux. Pour un peu, elle aurait été reconnaissante d'avoir le droit de vous aimer. C'est probablement un des êtres auxquels je dois le plus, quoiqu'elle ne m'ait proposé que des leçons silencieuses. Et des leçons que je n'ai pas apprises. On a beau faire, on copie ses devoirs sur ceux de sa propre mère. Comme Véra, mes leçons font du bruit. Toute sa prime jeunesse, j'ai abreuvé ma fille de conseils dont elle aurait préféré se passer et je lui ai donné la nausée avec des livres et des tableaux qu'elle ne voulait pas. Jusqu'à ce jour à Venise, en vaporetto sur le Grand Canal, où, émue par la splendeur, avec débauche de signes extérieurs, bien entendu, comme Véra, je lui ai dit :

– Regarde ce que cela peut être beau!

Valentine m'a répondu, l'œil tourné à l'intérieur sans me voir ni le paysage :

– Si tu me laissais découvrir moi-même ce qui est beau.

C'était l'heure froide où je venais de te quitter, je me réjouissais beaucoup de notre première intimité à deux. Elle non. Notre fille n'avait pas quinze ans, elle se foutait de la lagune argentée et de San

Marco et des musées Correr, Accademia and co, dont, elle le savait, j'allais tenter de la gaver. Elle attendait les lettres d'un petit jeune homme. Celui-ci n'a plus de visage ni peut-être de nom pour elle aujourd'hui, mais à l'époque il trouvait le moyen d'effacer le palais des Doges et le Condottiere et jusqu'au pont des Soupirs, le petit jeune homme oublié, et moi, en revanche, je n'ai jamais effacé la leçon de ce matin-là. On ne badine pas avec ce que vos enfants vous apprennent. Jusqu'à la fin du voyage, je n'ai plus attiré le regard de Valentine sur un seul Carpaccio. Et il en sera ainsi jusqu'à la fin de mon voyage, je crois. Je n'oserai plus jamais lui vendre, lui solder, lui fourguer de force la beauté des choses.

Tiens? J'entends des pas. C'est Valentine. Elle se lève et va dans la salle de bains. De par cette bonne humeur ardente qui ne la quitte pas, même quand elle est endormie à moitié, même quand elle est malheureuse, il faut toujours qu'elle accompagne de bruits joyeux ses moindres gestes. Avec un peu de malchance, elle va marcher jusqu'à ma chambre et voir que celle-ci est vide. Notre ancienne chambre, Thomas, j'avais presque envie de penser : notre chambre d'amour. Mais ça fait idiot. Il faut que je renonce à mes vieux sentiments. Au contraire, ma chambre à moi toute seule depuis bientôt dix ans, ma chambre de liberté. Bon, on est sauvé, Valentine se recouche et même elle prend des précautions de Sioux pour ce faire. Elle me protège parce qu'elle me sait triste d'une autre tristesse que la sienne et qui la déroute un peu.

Ce n'est pas seulement que je sois triste. Oui, naturellement, je t'aimais mieux présent, déran-geant, agressif et surtout si savamment attendris-sant. Tant que tu étais vivant, tout pouvait encore

advenir entre nous. Je t'avais quitté, « oui, mais... ».
Maintenant, c'est toi qui nous as quittées et je ne
me consolerai pas de ton absence, je le sais (comme
si c'était possible de se consoler de quelque chose
ou de quelqu'un, je n'ai jamais compris cela), mais
ce qui prime pour le moment, c'est le fait que j'ai un
travail à accomplir. Comment décrire mon activité ?
Cela donnerait quelque chose du genre : « Femme
accoudée en Irlande, regardant dans le vide, et
parlant sans voix à un mort. » Evidemment, on
pourrait en rajouter pour les curieux : « Un mort
qui a été son mari, un mort qu'elle a aimé, qu'elle a
quitté, un mort qui a eu une fin de brave, ou bien
d'idiot, c'est si bête de se laisser faire en perdant la
bataille du cancer, un mort dont elle avait essayé de
toutes ses forces de se foutre de son vivant, enfin,
rectification, dont elle avait fini à son cœur défen-
dant par voir les défauts, qu'elle avait renoncé à
aimer comme à regret avant de s'en aller, et puis
qu'elle avait re-aimé différemment mais à jamais,
quand la distance entre eux lui avait permis de
regarder lucidement un être auquel, enfin, par un
sursaut tardif de sagesse, elle ne demandait plus
rien mais qui était tissé à son passé, fil rouge
inévitable courant à travers la trame de ce qui
fut. »

Je ne serai pas libre, Thomas, avant d'avoir traversé ce qui fut comme on range consciencieuse-
ment une armoire. C'est la forme que prend mon
deuil. Evidemment, ce n'est pas « deuil en vingt-
quatre heures », c'est long à ranger les souvenirs,
mais, quand il sera plié dans la naphtaline de
l'oubli, mon ton notre passé qui demeurait du
présent tant que tu vivais, je pourrai fermer l'armoire à deux battants, Thomas, et basta, compte sur
moi, basta !

L'armoire! Devant moi, dans « la salle » de Glenmara, il y a celle où ma grand-mère Brenda cachait quand j'étais petite, dans une boîte déjà rouillée – on ne jetait rien à Glenmara –, les bonbons qu'elle me distribuait avec une austère parcimonie. Ils étaient mauvais à force d'attendre d'un mois de juillet à l'autre, confits dans l'humidité, comme habillés d'une peau moite et collante qu'il fallait traverser de la dent pour arriver à leur substance propre. Elle a rapetissé, l'armoire, c'est le destin des meubles quand on vieillit, mais elle grince toujours de la même façon lorsqu'on l'ouvre. C'est bien aimable de sa part. Quelquefois je me dis que je vais l'emporter à Paris. Non, elle s'ennuierait, c'est une armoire d'Irlande.

En face de l'armoire, sur le buffet, il y a une photographie de grand-mère Brenda, tu t'en souviendrais si tu la voyais : une taille de bobine, dix-sept ou dix-huit ans pas plus, des seins brimés mais gonflant malgré tout son corsage, l'air sérieux et conquis par le jeune homme moustachu, l'arrière-grand-père de Valentine, qui vient de l'épouser et « la dévore des yeux ». C'était l'expression consacrée pour les nouveaux mariés. La jeune Brenda aux beaux seins, puis la vieille Brenda qui lui fit suite ont fabriqué des mètres de broderies, des aunes de tapisseries, des bandes sans fin de points de croix pour orner les torchons et les draps dont nous nous servons encore à Glenmara. Elle a pénélopé toute sa longue vie. Et elle a écrit aussi un journal intime et timide où elle parle des rigueurs de l'exil. Le jeune homme moustachu l'avait emmenée à Tarbes, où il était professeur. Elle n'avait plus la mer devant ses yeux bruns. J'ai lu des passages de son journal, je les ai lus de force, les arrachant feuillet par feuillet à Victor qui les brûlait, sans les regarder, dans la cheminée. Nous nous sommes presque battus tant j'aurais voulu garder les cahiers gris de Brenda. Mais c'était sa mère et il était mon père. Victor a gagné, réduisant une ultime fois sa génitrice en cendres, de peur d'apprendre qu'elle avait été malheureuse, délaissée ou tout simplement rêveuse comme une femme, ce grand mystère que l'homme n'a pas toujours le cœur de dissiper.

Moi aussi, comme Brenda, je tiens mon journal. Souvent, à travers notre vie commune, j'ai eu envie que tu le cherches, que tu le trouves, toi qui voulais tout posséder de moi, sur d'autres plans, que tu n'en puisses plus de ne pas savoir ce que j'écrivais là. Que tu violes ma pensée pour changer. Tu ne l'as jamais fait. Je ne vais tout de même pas te reprocher ta bonne conduite? Mais si, Thom, presque. Moi, j'ai toujours grillé de connaître les mots furtifs que Véra lançait, à brûle-pourpoint, sur des petits carnets qu'elle enfouissait ensuite au fond de son sac, les laissant végéter là, entre ses rouges à lèvres et ses bleus à yeux, jusqu'à ce qu'ils soient remplis à ras bord. Où allaient-ils après? Je ne les ai jamais retrouvés. Si tu avais tenu un journal, Thom, j'aurais fait preuve de la même curiosité envers lui. C'est cela être une femme?

Comme je me sens descendre des femmes : cette Brenda modeste et rigoureuse qui parle si juste à mon souvenir et maman qui, tout en poursuivant son combat acharné pour préserver sans faille le personnage qu'elle fut, s'est jusqu'au bout de sa conscience attelée avec la même volonté à exercer un éternel droit de regard sur mon destin. Je ne lui en ai jamais voulu, j'ai toujours su que la curiosité est une forme d'amour. Ma fille pensera-t-elle un jour qu'elle descend ainsi de moi? Sait-on cela de son vivant? Ai-je seulement su ce que j'étais vraiment pour toi, Thom, à part une chose articulée et chaude à laquelle tu tenais? On ne peut pas dire, tu y tenais à ta chose, mais l'as-tu jamais comprise, mon ancien Thom?

Pourquoi me mets-je à imaginer que cette lettre dans l'espace, dont le destinataire ne peut être atteint, tu en saisiras enfin le sens? Quelle ténacité dans mon espérance! Pourtant, tu ne t'es jamais penché sur certains aspects de moi, même aux plus beaux jours de nos découvertes, quand l'amour nous tenait lieu de langage. Au fond, je profite du fait que tu es mort pour te bricoler un peu, te changer ton caractère pour le meilleur. Comme aux Etats-Unis, dans les Funeral Homes, on vous maquille votre cher disparu, à ne pas le reconnaître, à croire qu'il est heureux d'être ce qu'il est devenu, je te façonne à un vieux rêve, mon évanoui.

Flûte! je m'éloigne sans cesse de mon sujet. Où en étais-je de ma vie avec toi quand Valentine est entrée dans la pièce hier après-midi? Car nous sommes demain déjà. Je viens d'aller regarder par la petite fenêtre de coin qui donne sur le large – une si petite fenêtre pour un si grand large – l'aube somptueuse qui se lève sur une mer parme, et l'aube, ce matin, est violette. Rien de plus varié que les premiers cieux de la journée en Irlande, une raison en soi pour se réveiller tôt. Où en étais-je de nous? Pas loin encore, à notre première aube à l'hôtel du Lion Noir. Tu avais dormi dans mes bras et je n'osais pas bouger. Cela m'impressionnait, ce corps soudain abandonné, muet, indifférent. Cela m'étonnait surtout que ce corps-là dormît. Comment pouvait-on s'assoupir quand on avait fait l'amour pour la première fois avec une femme, la sienne? J'ai confusément senti, au premier petit matin de notre vie commune, que c'était prosaïque, un homme. Moi, je ne pouvais pas fermer les yeux parce que je t'aimais. C'est probablement très emmerdant les gens de ma sorte qui prennent tout au sérieux. J'aurais été à mon affaire, tiens, si j'avais eu dix-huit ans aujourd'hui. J'ai eu bon nez de naître avant que ne se pratique l'amour gymnastique.

Tu vois, pour un peu, quand tu t'es étiré et que tu as téléphoné pour demander le petit déjeuner, j'aurais préféré qu'au lieu de « deux cafés avec croissants » tu dises : « Montez-nous un petit stylet acéré, s'il vous plaît, que nous puissions mêler nos sangs. » Voilà, ça c'était pour moi un genre de phrase du lendemain matin.

– Et tu t'en vantes, connasse?

– Non, j'ai plutôt honte, je suis contente d'avoir vieilli, mais je sais seulement qu'à ce moment-là c'était comme ça.

– Oui, oui, je dis bien connasse. Tu avais trop lu de poètes crémeux, comme ce vieux « jeune fille » d'Alain-Fournier et pas assez de marquis de Sade et de Casanova...

Mais qu'est-ce que j'ai? C'est à moi que je parle maintenant? Ça va plus? C'est à toi seul Thomas que je veux parler. A toi du premier matin, quand j'avais envie de passer ma main sur ton corps, d'en découvrir les muscles et les méandres et que je restais là, immobile et fascinée, à t'apprendre, à t'attendre dans la pénombre, et le temps n'avait plus sa dimension. C'est à toi que je veux demander : « Tout cela est rangé dans la catégorie " beau souvenir ", n'est-ce pas? Nous sommes bien du même avis? Beau souvenir. »

Beau souvenir aussi les quinze heures de ferry avant d'arriver à Rosslare et l'amour en bateau, sur vagues, qui vous fait oublier le mal de cœur, l'amour « bien de cœur ». Puis on est repartis par de petites routes capricieuses jusqu'à Glenmara. A part les nuits fougueuses, tu sais ce qui m'a le plus frappée dans ce voyage? Je me suis abstenue de te le dire sur le moment mais, quand on n'est pas vraiment riche, on est frileux devant les histoires d'argent. Ce qui m'a frappée, c'est à quel point ton argent à toi était léger. Ce n'était pas la même monnaie que la nôtre, pour sûr. Par exemple, tu ne regardais jamais les prix des plats devant les restaurants, tu te plaignais plutôt que l'endroit était trop miteux, tu en cherchais un autre à ta mesure. Nous, avec Victor-Véra, quand on voyageait, on étudiait tout cela très soigneusement en y mettant tout notre temps :

– Côtelettes d'agneau, tel prix?

Victor se tournait vers sa femme.

– C'est beaucoup plus cher qu'à Monseigneur, hier.

– Allons voir en face.

Ton fric aisé me sidérait et le mépris que tu avais pour celui-ci. Même arrivés à Glenmara, tu trouvais la maison bien trop petite et inconfortable et la cuisine de la voisine O'Leary trop « sauvage », c'était ton mot, je n'ai jamais compris pourquoi. Elle était parfaitement honnête sur fond de pommes de terre, la cuisine de Maureen O'Leary. Mais tu m'emmenais déjeuner et dîner dehors chaque jour, et le reste du temps, c'est bien simple, on faisait l'amour. Ah! jeune homme, jeune toi, j'ai pourtant depuis fait l'amour de-ci de-là, mais le nôtre, ah! jeune homme.

Ce qui m'ennuyait, entre l'amour et l'amour, c'est que tu ne sois pas charmé par Glenmara. Cette maison n'existait pas pour toi, même si elle était d'importance à mes yeux. Tu éprouvais plutôt un instinctif recul devant ce qui était à moi seule et que j'aurais tant aimé partager.

Tu t'y promenais, dans l'humble Glenmara, comme tu te promenais dans la vie, en gardant tes distances et en aiguisant ta sévérité. Tu allais même jusqu'à te plaindre de l'odeur de moisi dans la maison. De moisi? Moi, j'ai toujours cru que c'était l'odeur de Glenmara, une odeur comme une atmosphère, qui fait renaître chaque fois tout l'imprécis passé. Aujourd'hui encore, je cherche les occasions d'ouvrir les portes du buffet afin que s'en dégage la douteuse senteur poivrée et amère, le parfum pour moi des vacances, celui du sel qui s'est mouillé en vous attendant, la saveur trouble d'un rêve toujours recommencé. Mais je ne te fais pas de reproches, là-bas où tu es, Thom. Le rêve est libre. Toi, c'étaient les grands hôtels qui te « branchaient », comme dirait, hélas, Valentine. C'est une de mes façons de vieillir, je n'aime pas beaucoup les mots d'aujourd'hui. Tu recherchais le luxe opulent et anonyme des palaces et des restau pleins d'étoiles. Note, je n'avais rien contre, j'étais gobe-luxe, il faut l'avouer. Une fois que l'on connaît, cela ne pose pas de problèmes, on aime. L'inutile ne met pas longtemps à se transformer en indispensable. Mais, en fait, il ne s'agissait même pas de luxe à l'époque, je crois que j'aurais été gobe-n'importe quoi proposé par toi, gobe-camping sur le flanc enneigé d'une montagne, ou gobe-croisière dans un youyou, quoique j'aie le mal de mer même sur le *Queen Elisabeth II*. C'est fou ce que ça peut être mou et invertébré, une femme amoureuse. Enfin, « c'était ». Je me suis arrangée par la suite, pour mon meilleur et probablement pour ton pire.

Alors à Glenmara on n'est pas restés aussi long-temps que prévu et on a fermé la petite maison qui ne t'avait pas conquis. J'avais envie de lui demander pardon à la petite maison, en la quittant, d'avoir épousé quelqu'un aveugle à sa qualité qui dans ses murs sentait sa grande taille rapetisser et se frustrer son besoin d'eau chaude comme d'autres ont besoin d'opium, quelqu'un qui avouait sans gêne ni honte son inappétence pour le magnifique et simple paysage alentour.

On est repartis dans l'autre sens, on a retraversé l'Irlande buissonnière aux haies de rhododendrons plus hautes que les chaumières plantées de traviole au bord des chemins, comme des jouets. Il n'y avait personne en Irlande à ce moment-là, elle n'avait pas encore été découverte. Probablement un des seuls pays d'Europe exclusivement peuplé de ses habitants. Les gens étaient encore en loques dans les villages. A force d'être porté, le tissu de leurs vêtements, de leurs casquettes avait changé de nature et de couleur; il n'en restait plus que la trame et les enfants couraient pieds nus. C'était il y a longtemps, longtemps, Thomas...

On est revenus chez nous, enfin chez toi. Je sais depuis l'enfance qu'il n'y a qu'à Glenmara que je me sente chez moi. Dans les autres maisons, je suis en visite. M'éloignant pour la première fois sans regret de mon lieu-dit, j'étais à côté de toi, comme à l'aller, doucement consentante et conquise tandis que tu conduisais, avec une négligence à laquelle je commençais à m'habituer, de ta jolie main longue aux ongles carrés. Tu as été très tendre au retour, très amoureux. Mon Dieu, comme tu savais bien aimer! Je ne regrette rien, je te promets. Mais, sur le moment, j'ai déploré une chose sans oser la dire, c'est que nous ne fassions pas le détour par Senlis. J'aurais voulu que la personne frisée de la caisse qui m'avait méprisée, moi et ma jupe au chocolat, me revoie en vieille mariée, ce que je me trouvais dorénavant. J'aurais eu plaisir à passer lentement devant elle – j'ai tout mon temps –, un peu de morgue dans le sourire, l'œil aux antipodes et le tailleur blanc impec... Bref, j'aurais aimé pouvoir la traiter de haut. Mais je ne suis jamais parvenue à traiter les gens de cet endroit-là. Tu me l'as assez souvent fait remarquer.

Par petites étapes nonchalantes, nous sommes arrivés dans le Midi, chez ta mère, dans la maison de ton enfance.

Comme les chiens, la plupart des maisons heureuses ressemblent à leur maître. J'ai toujours pensé que la maison de Christine était de celles-là. Une de ces vastes demeures qui trouvent moyen, par une série de subterfuges, d'avoir l'air modeste alors qu'elles crépitent de richesses discrètes. Elle se tenait droite, un peu austère, au milieu d'un grand jardin très fleuri sans vulgarité. Christine n'aimait pas que l'on dise parc. Et, dès franchi le pas de la porte, le doux cocon d'attentions, de raffinements, d'élégance que ta mère créait autour des êtres vous plongeait dans une sorte de béatitude bienveillante et comme enchantée. Christine était une sorcière, mais bénéfique, il en existe quelques-unes.

Nous sommes arrivés à l'heure où la nuit tombe d'un coup en Méditerranée. Ton fils attendait sérieusement sur le perron. Depuis combien de temps? Il était petit pour son âge. Il en avait conscience et tirait sur son cou, laissant tomber ses étroites épaules en pente, aussi bas que possible.

Je me suis penchée vers ses joues où le sang affleurait, me demandant si c'était le bon geste, et je l'ai embrassé, gauchement, à côté de l'objectif. François s'est laissé faire presque sans bouger. Il avait un nez comme une minuscule pomme de terre ronde et il devait être de partout le portrait de ta femme car rien dans son apparence n'évoquait les traits des Marquand. C'est Valentine qui est une Marquand. En fait, tu as toujours aimé les blondes, on aurait pu le prendre pour mon fils, le tien, ou plutôt pour mon frère, avec seulement nos onze ans d'écart. Je me suis éloignée de lui et nous nous sommes considérés un instant l'un l'autre, gardant pour nous nos sentiments. Je forçais un demi-sourire sur mes lèvres : « Pourvu que je puisse l'aimer un jour, me disais-je. Mais je ne suis pas pressée du tout. C'est son père que je veux aimer maintenant, tout de suite, tout le temps, je n'ai pas de place pour ce petit garçon. On aurait dû attendre un peu plus longtemps pour me le fiche dans les pattes. » J'avais envie de lui tourner le dos et d'aller me promener dans le jardin fleuri avec toi, avant le dîner. Quand nous nous promenions, tu t'arrêtais tout à coup, et tu me prenais par la taille avec tes bras musclés. Ils étaient durs tes bras, si durs, et tu serrais. Je sentais tes côtes contre les miennes, je sentais chaque fois mon désir, notre désir monter monter, délicieusement, et il fallait le mater comme un cheval fougueux.

Lorsque nous sommes redescendus dans le salon, ta mère a annoncé :

– Nous dînerons tôt. Puisque vous venez d'arriver, j'ai promis à l'enfant qu'il pourrait être à table avec nous ce soir.

Elle disait toujours « l'enfant » en parlant de son petit-fils.

– Peut-être, maintenant, aimerais-tu qu'Iris te donne ton bain, mon petit chéri?

On ne discutait pas les suggestions de Christine. Celles-ci devenaient des ordres sans que l'on s'en aperçoive. Mais y avait-il quelqu'un dans ce salon où, par les grandes fenêtres ouvertes, arrivait en effluves l'odeur entêtante que dégagent les eucalyptus quand s'annonce le soir, y avait-il quelqu'un conscient du fait que moi, je ne savais pas donner des bains aux petits chéris? Est-ce que cela se déshabillait tout seuls les petits chéris? Etait-ce pudique? Est-ce que ça se montrait nu? Fallait-il agiter le gant éponge sur leurs fesses en tournant les yeux? D'ailleurs, je n'aimais pas sa tête à celui-là. Je ne l'aurais pas choisi comme ça.

Evitant de te regarder, Thomas (j'avais soudain besoin de t'en vouloir, à toi aussi qui avais eu un enfant sans me demander la permission – allez vous faire foutre, les enfants que je n'ai pas faits!), j'ai fini par prendre la main du petit machin et je l'ai tiré sans aménité jusqu'à la salle de bains. Nous parlions à peine en marchant dans le long couloir ciré. Entre deux silences je posais une question indifférente à laquelle succédait une réponse monosyllabique. Je me suis mise à me battre avec le robinet d'eau chaude, au lieu de le secouer lui-même. Nerveux, François a enlevé, en se pressant, sa toute petite culotte de tout petit chéri. Je n'osais pas regarder son ridicule semblant de zizi rose, et c'est à ce moment-là, je crois, que je me suis mise à avoir pitié de lui : « Moi, j'aimerais cent fois mieux qu'il n'existe pas, mais lui, il préférerait que ce soit sa mère, là, à côté de lui. On est paumés tous les deux, quoi! » Alors je me suis tournée vers le petit machin et je l'ai regardé enfin sans avoir envie de le mordre.

Tout nu, il avait l'air d'une grenouillette écorchée, sans défense, attendant qu'on le savonne. On voyait les veines se promener sous sa peau blanche. Une de ces peaux que l'on peut exposer au soleil de midi, à Tamanrasset, sans qu'elles se dorent.

Je l'ai encouragé à m'éclabousser. J'ai dit qu'à son âge je ne me lavais que sous la contrainte. La grenouillette était d'accord. Elle a gigoté un temps décent et, quand je l'ai ramené dans le salon, ton fils, avec ses cheveux humides bien plats sur le côté, la cordelière de sa robe de chambre nouée correctement – Christine aimait les petits chéris très au point – et sa pomme de terre de nez rosie par l'eau chaude, j'ai eu l'impression fugitive que nous partagions ensemble un semblant de secret.

Le lendemain, nous sommes partis tous les trois pour dix jours.

Il y avait des moments où je ne m'ennuyais pas du tout avec ton fils. Quand nous étions seuls, que nous allions nager ensemble pendant que tu faisais quelques trous de golf, ça n'allait pas mal. C'étaient les déjeuners que je redoutais. Je n'osais pas avoir l'air amoureuse de toi, Thomas, faire des gestes, poser ma main sur ta cuisse, en nouvelle propriétaire, te murmurer des mots évocateurs. Ça m'emmerdait d'avoir à me comporter en vieux parent : « Bois pas toute ton eau d'un seul coup. Mange d'abord ta viande... Oui, ta viande. T'aimes pas le gras ? » Des remarques automates entendues pour mon compte il y avait trop peu de temps. Ma maternité sans conception me pesait. Et toi, en ce temps-là, tu étais si peu père que tu ne t'en apercevais pas. C'était Christine, jusqu'à mon entrée en scène, qui prononçait ces phrases à l'usage de ton fils. D'une femme à l'autre, l'homme s'habitue sans le savoir à être un bel indifférent.

Il n'y avait que les soirs que j'aimais bien. J'allais coucher la grenouille et, pour me pardonner à moi-même la bouffée de mauvais sentiments qui m'envahissait à l'idée que nous allions la planter là et dîner tous les deux, je lui racontais une histoire qui n'en finissait pas. C'était chaque fois Jonas dans sa baleine et qui s'y trouvait si bien qu'il ne voulait plus en sortir. Une fois, quand j'étais en train d'éteindre la lumière, sur le point de fermer la porte, ton fils a dit qu'il aimerait être comme le petit garçon dans la baleine et rester toujours où il était en ce moment, avec nous deux.

C'est ce soir-là que j'ai commencé à l'appeler Jonas. Cela a contribué à arranger nos affaires. D'abord je n'aime pas François comme prénom – bon, d'accord, c'était celui de ton père, mais moi j'aime les prénoms pour d'autres raisons –, ensuite, en ayant rebaptisé la grenouillette, c'était comme si je l'avais un peu faite d'une certaine façon.

N'empêche, lorsque nous avons ramené Jonas à sa grand-mère, pour la fin de ses vacances, j'étais bien contente de lui dire au revoir. Au moment où nous partions, il a pleuré et je t'ai su gré, tout musclé façon homme que tu sois, de ne pas avoir eu une de ces exclamations fatales que je ne veux même pas entendre dans la gueule d'un chien-loup : « Allons! Allons! les hommes ne pleurent pas. » Tu avais été élevé par une mère qui avait su te faire respecter les larmes, qu'elles soient femelles ou mâles. Il y a des gens, dit-on, que ça amollit. Toi, cela t'a bien réussi d'être éduqué par une femme. Tu aurais pu inutilement t'endurcir le sentiment, cette pâte qui a avantage à rester malléable. Déjà, j'avais été étonnée que tu acceptes si volontiers cette idée d'internat pour Jonas. Sous prétexte que son père s'était vu charger d'un de ces fardeaux emportés d'habitude sous leur bras par les femmes qui se sauvent, cela ne te gênait pas qu'un pauvre petit trognon de huit ans, avec des jambes grêles et le nez qui renifle, se couche chaque soir dans un dortoir sans un baiser. Moi, je ne l'aimais pas encore des masses, Jonas, loin de là, mais j'avais presque envie de dire quand il est reparti dans son école : « Allez, il me barbe, mais on le prend avec nous. Il est trop petit et trop rose. On ne peut pas le laisser seul comme ça. » J'ai même essayé une fois, peut-être sans y mettre toutes mes forces – je n'étais tout de même pas complètement « sainte Iris de Thomas » –, j'ai essayé de te convaincre, un soir où Jonas, dans son lit, dans le noir, lançait, la porte close, comme des petits jappements de chien battu avant de repartir pour la pension le lendemain matin. J'ai dit : « Puisque je suis là et que je l'aime bien... » Mais toi, malgré la femme douce qui t'avait élevé, tu restais quand même du genre : « C'est moi seul qui décide. » Et j'aimais cela à l'époque, je faisais une confusion coupable entre le despotisme et la virilité. Ça m'a quittée, tu sais. Je n'aime plus du tout ce genre-là, peut-être parce que personne, depuis toi, n'a su panacher si savamment le pouvoir et la tendresse. Si savamment.

Pendant notre absence, ta mère, quant à elle, avait panaché ton appartement pour qu'il aille « à une femme ». Elle m'a même acheté une coiffeuse. Je l'ai encore, je ne l'ai pas laissée derrière, celle-là. Elle n'est pas si jolie que ça, mais je la garde, elle me rappelle Christine et ce temps-là de ma vie, sa deuxième aube.

Tu as recommencé à travailler avec ton oncle : un horaire de notaire, enfin, d'industriel, et des nuits de feu avec le jardin des Tuileries en toile de fond. Victor-Véra venaient souvent dîner. J'appartenais encore à bloc à ma tribu. Ce n'est pas en un jour, en un mariage, que l'on se désempare de son autrefois. Véra trouvait que je devais tout changer chez toi.

Comment pouvais-je supporter de vivre dans le goût de quelqu'un d'autre? Je pouvais, puisque je me voulais lui, puisque je l'espérais moi. Véra trouvait aussi que je t'aimais trop. Mais cela, elle n'osait pas me le dire. N'importe, je le sentais : la femme fascinée, entortillée dans son amour comme une momie palmée, très peu pour elle. Mais c'était pour moi à l'époque.

Quant à mon père, il était assez content de s'être délesté de sa fille. C'est assez encombrant et incompréhensible, ces êtres-là. J'avais beau être parfois son « petit cœur », maintenant que celui-ci était rangé, cela l'arrangeait. D'autant que tu étais un beau parti, comme le répétait religieusement sa tante Mimi quand elle venait déjeuner le dimanche. Mais Victor aurait préféré que le beau parti soit un peu plus son type d'homme. Il aurait aimé qu'ensemble vous parliez plus familièrement d'Aristote, d'Iphigénie en Aulide ou de Vercingétorix, des gens comme ça sur lesquels il avait des opinions qui l'intéressaient lui-même. Victor était doté d'un esprit large pour le passé historique et qui se réduisait considérablement dès qu'il s'agissait des problèmes de finance et d'économie, tes grands sujets à toi, ceux sur lesquels tu t'interrogeais. Mon père, à part le sort d'Iphigénie et associés, c'était celui des planètes ou l'avenir du monde qu'il avait plaisir, de plus en plus plaisir à mesure qu'il vieillissait, à mettre en doute. Il aimait s'inquiéter, devant un auditoire attentif, pour l'improbable, l'inaccessible, le lointain, ce à quoi on ne peut rien changer. Cela l'empêchait de se préoccuper du quotidien où il s'est en fin de compte assez mal démerdé. Et, en plus, vous étiez deux timides chacun à votre façon, et Victor avait beau avoir été protégé toute sa vie sans effort du complexe d'Œdipe, cela le gênait quand même qu'un monsieur couche avec sa fille, d'autant plus, peut-être, que ce monsieur était beau et bien sous tous rapp. Sont tous les mêmes, hein? Toi aussi, Thom, tu te moquais des garçons de Valentine, tu dénichais brillamment leurs ridicules, tu leur donnais des surnoms, tu ricanais à leur gaucherie adolescente. Tout t'était bon, qu'ils soient intellectuels, artistes, sportifs, plus petits que toi ou qu'ils te dépassent d'une coudée. Comme si un mètre quatre-vingts industriel aux yeux gris-bleu, fortuné distingué et caustique, était la seule façon vraiment d'être un homme.

Victor avait plus de retenue à ton sujet, puis, quoiqu'il s'appliquât à dédaigner le fric, il était un peu épaté par le tien, d'autant que je ne lui en avais rien dit. J'avais bien eu l'impression que vous étiez plus à l'aise que nous, mais pas vraiment que tu étais riche. Cela a été une surprise pas désagréable – c'est beau comme tout l'argent et ça ne fait de mal qu'aux cons – mais une véritable surprise. Comme Victor-Véra n'avaient rien à me donner, on s'était passés de contrat de mariage. Je ne savais pas, moi, ce que tu possédais à part ta Packard grise.

D'ailleurs, j'exagère. On n'avait pas rien, nous, quand même. On avait des livres. Victor possédait une bibliothèque admirable que j'ai gardée en entier. Il avait promis qu'il ne s'en déferait jamais. « J'aimerais mieux mendier », disait-il. C'est une de mes images les plus claires : mon père, les mains derrière le dos, la tête en l'air devant ses rayonnages. Je verrai toujours ses yeux marron – ils étaient ensuite devenus gris-beige, les pauvres vieux yeux marron de Victor –, je vois ses yeux émus tandis que sa main palpait un livre comme une chair de femme, un corps aimé, et qu'il retenait celui-ci entre ses paumes, regrettant de s'en séparer, et puis, vite, me le donnait enfin, fier comme s'il l'avait écrit, et l'air de m'offrir le Koh-i-Noor.

Les Koh-i-Noors que tu offrais joliment, toi, c'étaient les voyages. Une note conte de fées que tu avais héritée de ta mère. A peine deux ans après notre mariage, j'ai eu une espèce de grosse grippe avec complications pulmonaires, moi qui me flattais de n'avoir jamais été malade de ma vie. Quand j'allai mieux, tu m'as emmenée faire un petit voyage que tu avais organisé tout seul. Je n'avais plus qu'à monter dans le wagon en jouant les madones de sleeping. Vous aviez de très jolies mœurs affectives dans ta famille, enfin, ta mère et toi. Ce n'était pas seulement à cause de l'argent, non, vous montriez tout naturellement des égards pour les choses du cœur. Cela m'a rendue assez exigeante par la suite, après que j'eus décidé de te quitter, cette habitude que j'avais prise à votre contact de voir manier la fatigue, le chagrin de l'autre, la difficulté, toute forme d'émotion, d'une main caressante, d'une main gantée.

En chemin, nous avons été chercher Jonas, encore lui, à son école et l'avons emmené déjeuner. Il était muet, comme le demeurent longtemps, même après leur libération, les enfants incarcérés. Il n'avait pas les moyens de se réjouir de notre présence, car déjà il redoutait notre absence. Presque sans mon accord, je m'étais mise à éprouver quelque chose pour lui. Ça ne me suffisait donc pas de t'aimer comme une buse? Nous sommes partis pour Saint-Paul-de-Vence, à La Colombe d'Or, un des hôtels que j'ai préférés au cours de ma vie avec toi, un hôtel-refuge où nous avons été souvent panser nos plaies, et où je ne pourrai jamais plus retourner, car il est trop piégé de souvenirs. Mais je crois que c'est là que la buse amoureuse a commencé à réaliser que l'objet de sa passion et elle n'avaient pas tant de choses que ça à se dire quand ils ne discutaient pas leur vie, les gestes quotidiens, les cocktails du lendemain, ton match de golf à Saint-Cloud ou le dîner que nous devions donner, la semaine d'après, pour les Untel. Ce n'est pas bien de ma part, mais tes affaires m'ont toujours ennuyée et aussi les gens qui les faisaient, ces affaires, et les choses qu'il fallait leur raconter et les filets de sole bonne femme qu'en bonne femme je devais préparer. Je t'aimais encore terriblement – oh! je t'ai aimé très longtemps et ce n'est pas fini –, mais à Saint-Paul-de-Vence, cette fois-là, j'ai compris, je crois, que je m'entendais mieux avec ton corps qu'avec ta tête. Et il me semble vraiment qu'alors je n'ai pas fait assez d'efforts. Je suis sûre que j'ai été malhabile sans m'en apercevoir. J'aurais dû... J'aurais dû quoi, au fond? Ne me donnons pas tous les torts. Qu'en penses-tu? Rien! Tu ne penses plus rien. C'est ça qui est terrible. Je te promets, je t'aimais mieux odieux. Comment savoir maintenant à quel moment tu t'es aperçu que mes préoccupations littéraires ou autres te déplaisaient? Tu avais beaucoup de goût, tu lisais énormément et souvent la même chose que moi, mais mes idées, ma vision du monde, mon approche des choses, quand t'es-tu dit pour la première fois qu'elles te dérangeaient et que j'étais une emmerdeuse qui jouait les intellectuelles? C'est complètement dingue que je ne t'aie jamais posé la question de ton vivant. Mais j'en avais conscience. Oui, là-bas, le mort, j'en avais conscience. Tu n'aimais pas mes goûts, cela se sent ces choses-là, et à part ceux qui me menaient irrésistiblement à toi la nuit, tu n'aimais pas mes désirs ni mes grandes espérances. C'était ma liberté, n'est-ce pas, même celle de penser, que tu trouvais difficile à supporter?

Pauvres de nous, comme c'était pas facile de vivre ensemble malgré ce magnifique et encombrant amour qui nous ligotait l'un à l'autre...

J'ai sommeil soudain. Cela m'arrive quand le matin s'est déjà installé dans la place. Le cri sot du coq d'à côté a déjà retenti plusieurs fois. Le temps d'une trahison. J'espère que je ne nous trahis pas. Je tente, tu sais, je tente d'être aussi exacte que possible. Je les aime, ces deux combattants de la vie et de nous-mêmes que nous fûmes. Je les aime à en pleurer.

La journée a été magnifique. Nous nous sommes promenées longtemps sur la grande plage au sable blanc où seuls un enfant et un chien jouaient inlassablement à l'éternel jeu du lancé et du rattrapé.

Maintenant la pluie s'est mise à tomber et un crachin blême picote les vitres de la pièce. Nous sommes assises l'une près de l'autre, la mère et la fille, abandonnées dans notre pose comme peuvent l'être deux femmes quand il n'y a pas d'homme pour les regarder. Les coudes sur la table de chêne, des tasses vides devant nous.

Valentine a envie de parler. Elle se tourne de mon côté, puis elle fixe la fenêtre. Elle met la théière tête en bas pour voir s'il y reste quelque chose. Elle s'étire en fermant les yeux. Elle a l'air d'un jeune chat qui s'apprête à sauter trop haut.

Maintenant elle saisit le journal que je viens de laisser et le chiffonne un peu en le lisant distraitement. Je me tais. Je suis immobile en moi.

– J'aime ça les vieux *Monde* en Irlande, dit-elle d'un ton volontairement gai. Les *Monde* qui ont des nouvelles pas fraîches et des annonces de mariages consommés et de naissances anciennes.

Elle rit un peu fort de son bon mot et semble écouter l'écho de sa voix. Je souris, c'est tout. Valentine se renfrogne dans le journal et puis elle marmonne entre ses dents comme pour me donner une chance de ne pas entendre :

– On devrait aussi annoncer les divorces dans *Le Monde* : « M. Simon Rouge et Mme Valentine anciennement Rouge sont heureux et malheureux de vous faire part de leur séparation à l'amiable qui aura lieu dans la plus stricte intimité le tant à midi précis. Fleurs et couronnes. »

Je me tais encore un peu mais je sens que cela ne va pas pouvoir durer. Valentine fait une boule serrée du journal et l'envoie valser dans la cheminée sur les bûches presque en cendres d'où s'élève une fumée encore chaude. J'ai envie de prononcer une phrase de mère éternelle : « Attention, c'est comme ça que l'on commence un feu de cheminée. » Valentine sourit, provocante. Son œil, un peu plissé, me dit : « Tu vois, je fais encore des gestes de petite fille inconsciente et j'y prends du plaisir. » Je me penche vers elle et je lui demande :

– Tu veux quitter Simon pour de bon ?

Elle hausse les épaules. D'un coup, elle a l'air triste, plus vieille qu'elle-même. En moi, une subite envie que Simon soit derrière elle, les mains sur le dossier de la chaise, avec son long visage toujours un peu amer, la tête penchée d'un côté. Valentine semble dépareillée toute seule.

– Je ne sais pas, dit-elle. Je n'ai envie ni de divorcer ni de rester mariée. J'aimerais me réveiller et que cela ne se soit pas produit. J'aimerais m'appartenir.

Pauvre chérie, ce vieux rêve toujours recommencé, qui nous taraude les unes après les autres. Moi aussi, en mon temps, Thomas...

Je dis :

– Et Pierre?

Et je le regrette aussitôt. Ce n'est pas à moi de poser des questions. J'ai parié avec moi-même que j'étais capable de me taire au sujet de Pierre.

– Pierre fait très bien l'amour et je ne l'aime pas. Alors, c'est simple.

– Et Simon?

Ça y est, je continue avec mes questions!

– J'aimerais ne pas l'aimer. Alors, c'est pas simple.

Valentine s'étire à nouveau. J'ai l'impression qu'elle ne veut plus me parler. Mais nous avons avancé un tout petit peu, un saut de puce dans la direction de notre ancienne intimité. Jusqu'à maintenant nous n'avions pas trop osé évoquer ce qui venait de se passer, tout ce qui nous est arrivé très vite depuis que tu n'es plus là – il y a si peu de temps que tu n'es plus là, Thom –, alors nous n'avons pas su non plus parler d'autre chose. Tous les chemins menaient à toi. Et puis, peut-être ma fille m'en voulait-elle à nouveau? Il y a des rancœurs répétitives que le chagrin réveille. Lui en voulais-je, moi aussi, de m'avoir traitée comme une étrangère pendant les premiers jours qui ont suivi ton... – ah, je n'ai pas envie de prononcer à moi-même des mots comme « décès » –, qui ont suivi ton départ définitif? C'était alors comme s'il n'y avait pas de place pour moi nulle part à côté d'elle.

Ni dans son cœur ni dans ses meubles. Quand nous avions à régler quelque chose au sujet de... – ça y est, ça recommence; tiens, si j'employais le mot « fin », ce n'est pas trop mal –, au sujet de ta fin, c'est avec une cérémonie distante qu'elle me recevait chez toi qui avait été chez moi. Mais oui, chez moi quand même pendant un grand morceau de ma vie. C'étaient les fauteuils, les rideaux, les tables de chez moi.

– Assieds-toi, disait-elle, comme si je n'avais pas pu le faire toute seule, sans permission. Tu veux boire quelque chose?

Pardieu! je savais où se trouvaient les verres. C'était comme si soudain, parce que tu étais mort, elle te récupérait en entier, bahuts compris. J'étais partie un jour? Bon, eh bien, c'était réglé, je n'avais même plus droit à mon chagrin. Ma fille était chez elle chez son père et dans sa peine. Nos vingt ans de vie commune, Thomas, le fait que nous l'avions eue ensemble, cette fille-là, assise à me parler comme à une dame en visite, tout cela était oublié, repoussé du côté de l'ombre, aboli.

Mais oui, je sais bien... Mais non, je ne lui en veux pas... On est toujours groggy et inconnu à soi-même devant cette vache de mort, elle vous défigure jusqu'aux vivants. J'ai dû me tromper de comportement aussi, la traiter trop en petite fille, ma fille, oubliant que cela vous vieillit d'un coup, la fin de ceux qu'on aime. Heureusement, il y avait des gestes à accomplir. Parce qu'elle est en plus exigeante et pressée, cette vache de mort, nous n'avions pas le temps de nous parler, mais de n'avoir pas osé le faire nous a rendues empruntées par la suite l'une vis-à-vis de l'autre. Tout à coup, comme un orage qui a passé au-dessus de la maison et s'est éloigné, cela va mieux. « On est re-nous », comme dit ma fille. Elle est tout contre moi, son bras brun effleure le mien. Je la prendrais bien, je l'empoignerais goulûment et je te la serrerais contre moi. Non, je me retiens. Elle me regarde. Nous nous sourions sans parler. Paisible silence. Valentine se recroqueville sur sa chaise.

– C'était bon ce bain trop chaud. On devrait toujours prendre des bains le soir et du thé avant de se coucher.

Je n'ai pas envie qu'elle aille se coucher tout de suite.

– J'ai rencontré miss Collins, aujourd'hui, dis-je.

C'est la première idée qui me soit venue à l'esprit pour la retenir, miss Collins. Elle faisait toujours rire Valentine quand celle-ci était enfant.

– Sa moustache va bien ?

– Oui, mais elle est plutôt plus grise que l'année dernière. Alors on la voit moins.

– Est-ce qu'elle continue de marier les objets ?

– Les objets ? Je ne sais pas.

– Tu te souviens, voyons, quand j'étais petite fille, elle m'emmenait chez elle et me disait que la lampe était fiancée au vase de fleurs. Je la croyais. Elle les installait l'une à côté de l'autre sur le guéridon. Ça me faisait rêver de drôles de choses la nuit. Il faudra que j'aille lui dire bonjour. Je ne rêve pas ces jours-ci. C'est très fatigant.

Le journal se met à brûler dans la cheminée. Valentine se tourne et regarde d'un air vainqueur les parcelles de papier noirci s'échapper lentement dans l'air, en ludions de dentelle au-dessus des braises crépitant doucement. Puis elle dit d'une voix plate :

– Peut-être qu'elle divorce aussi les objets, miss Collins ?

J'ai cru qu'elle allait se lever et je lance vite :

– Elle continue à ne pas divorcer les gens, en tout cas. Je lui ai déjà dit plusieurs fois, ces années passées, que j'étais séparée de ton père et encore aujourd'hui elle m'a demandé des nouvelles de mon *good husband*. Cela ne sert à rien : quoi qu'on lui réponde, elle continue. Tu lui avais envoyé un faire-part pour Thomas, pourtant? Mais le divorce, la mort, ce sont des choses qui ne font pas long feu dans l'esprit des gens par ici. C'est drôle, quand je suis là depuis un certain temps, je finis par trouver leur point de vue presque normal.

– Cela doit être bien d'être enterré en Irlande, dit Valentine. « Par les ombres myrteux... » prendre son repos. L'ennui, c'est que j'ignore s'il pousse du myrte dans le coin.

Et, cette fois-ci, elle se lève et m'embrasse, bien rond, bien chaud. On se serre un coup. Je dis :

– Je reste encore un peu en bas.

– Ne regarde pas trop dans le vide. Ça fait mal au cœur, aux rides...

Ma fille a articulé cela sur un ton de comptine.

Elle a conscience, bien sûr, de mon étrange promenade intérieure, quoique je ne lui en aie rien dit. Quand elle est arrivée en haut des marches, elle se penche et ajoute :

– Tu devrais t'acheter une autre robe de chambre, celle-là est trop moche.

Elle a été à toi « celle-là », Thomas, et tu l'as laissée un des derniers étés où tu es venu à Glenmara parce qu'elle te paraissait comme vient de dire Valentine. Moi, j'y suis bien dans cette guérite chaude, à l'abri. Cela me fait plaisir de caresser la vieille manche râpeuse comme pour la réconforter, lui dire que je ne vais pas la jeter, qu'elle n'est pas trop moche. Je souris pour moi-même tandis que ma main passe et repasse sur le tissu usé avec l'espoir de lui faire plaisir. Au fond, je suis comme miss Collins, moi aussi, je crois en l'existence des objets. Quand elle est revenue tout à l'heure, la petite vieille fille m'a tendu par-dessus la grille un bouquet de fleurs des champs :

– Pour mettre près des photographies de vos chers disparus.

Enfin, en anglais cela paraît moins mélodramatique comme phrase : *Your dear ones.* Mais on ne peut pas souvent dire les choses légèrement en français. C'est une langue solennelle.

Elle sait peut-être pour toi, miss Collins? Elle le sait comme la pluie tombe ici, dix minutes par heure, et puis elle remet sa vie au beau fixe. Quoi qu'il en soit, je n'ai pas de photographie de toi dans un cadre, mon cher disparu. Alors j'ai posé le petit bouquet déjà fanant à côté du daguerréotype de granny Brenda sur le buffet, dans un pot bleu que tu avais gagné à la foire, l'année de notre voyage de noces. Ça fera l'affaire. Il n'y avait pas d'image de toi ici, avant. On ne va pas te coller là maintenant, sous le fallacieux prétexte que tu n'es plus. Je n'ai jamais compris comment on s'y prenait pour installer sur un coin de cheminée les morts que l'on n'avait pas posés là de leur vivant. Tu sais, je ne l'ai pas dit à Valentine tout à l'heure, mais j'ai répondu à miss Collins que tu allais *very well thank you.* Pour ce que ça change. Mais tu ne vas pas mal, hein? On doit aller ni mal ni bien là-bas, dans le rien. Peut-être même est-ce agréable de ne pas être? En fait, cela devrait te sembler un état parfait, cher mortel, toi qui as répété si souvent au cours de ton existence que tu te fichais de tout et que si l'on te disait que tu n'en avais plus que pour...

Là-haut, Valentine ouvre la porte de sa chambre. Je suis seule. Je voulais repousser ce moment car je savais qu'alors il m'allait falloir, malgré moi, continuer à remuer mes souvenirs en papier. Cet après-midi, quand Valentine est partie à la pêche avec notre voisin le marin, j'ai entrepris une pêche d'un autre ordre dans le grand sac poubelle cent cinquante litres que j'ai relégué au grenier il y a des années et où j'entasse les lettres et les paperasses que je ne veux ni garder ni jeter tout à fait, en compagnie des photos dont je me promets toujours de faire un album. Il est déjà plein à ras bord de son passé composé et décomposé, le sac poubelle. J'ai décidé d'y mettre de l'ordre, c'est-à-dire de faire le vide.

Il y a là une grande partie de tes messages, Thomas. Marée tumultueuse de lettres d'amour ponctuée de quelques lettres de haine, que j'ai remisées là en te quittant, le tout saupoudré de cartes de Noël et de photographies où sourient parfois entre nous, comme une énigme que l'on ne résoudra jamais, des visages oubliés. Courbatue d'émotion, j'ai ramé dans ces vagues disparates jusqu'au retour de ma fille, et puis, dès que je l'ai entendue parler dans le chemin avec le petit garçon du pêcheur, j'ai vite caché le sac poubelle.

Maintenant, j'entends Valentine aller et venir du cabinet de toilette à sa chambre. J'aimerais qu'elle se couche. Qu'elle ferme sa porte pour une fois. Je veux être seule, oui, qu'on me laisse avec nous.

Je me lève, je passe devant la glace, je me lance un regard mauvais. Je ne suis plus folle de moi au hasard des miroirs. Tiens ? C'est bien ça, on jurerait que j'ai une nouvelle ride. Ah ! je ne le mérite pas. Elle avait raison, Valentine. Entre les deux yeux, là, une ligne demi-creuse. D'accord, ce n'est encore qu'une ridule mais on peut lui faire confiance, elle saura tracer son chemin. Si on donnait des noms à ses stigmates, celui-ci s'appellerait Thomas.

Je vais ramasser le sac poubelle sous l'escalier, je le traîne jusqu'au divan, il pèse le poids d'un homme. Je m'assieds à côté de lui, je plonge la main, je brasse un peu. Cela ressemble aux pêches miraculeuses de l'enfance, mais je ne m'attends à aucun miracle. J'amène quelque chose : une photo de Jonas dans le jardin de Cannes avec son chien. Comme il est jeune, Jonas! On oublie que les gens ont été si petits. Maintenant, une lettre mince sur papier bleu. Oh! je la connais, la lettre bleu pâle, pleine de fiel, pas besoin d'y mettre le nez : « Ma chère Iris, si tu insistes pour prolonger cette séparation ridicule, je te serais reconnaissant de me rendre les clés de... » Une photo de toi enfant avec ta mère. J'en ai gardé longtemps une du même acabit dans mon sac. Comme je t'aurais aimé. Des vœux très tendres d'inconnus qui nous assurent avec une signature illisible de leur amitié inusable. Un carré en bristol. En haut à gauche, il y a écrit : « 25 août 1953 ». Ton premier message. J'aime toujours le relire, celui-là. Tiens, j'avais oublié : ton graphisme était plus petit à l'époque. « Chère Mademoiselle. C'est entendu, mardi à six heures. Retrouvons-nous au Ritz, voulez-vous? Je ne peux pas vous dire que j'aurai un *Times* sous le bras, nous serions trop nombreux dans cette situation. Mais je suis grand, et brun et français. Vous me dites que vous êtes blonde, je vous trouverai. *P.-S.* J'amènerai " la chose ". » La chose, c'était le cadeau qu'une amie de Véra, et bizarrement aussi une amie de ta mère, t'avait confié – elle habitait la campagne – afin que tu me le remettes à Londres où je passais deux jours, en chemin vers l'Irlande.

On était venus comme d'habitude dans « La Comtesse », notre voiture Viva Grand Sport (ce mot me faisait toujours un peu rêver) : un modèle décapotable et inusable que Victor avait acheté à une comtesse à laquelle elle devait son surnom. Victor et Véra projetaient de traverser le pays de Galles, puis ils prendraient le bateau. Ils s'offraient chaque fois des itinéraires différents dont on discutait onze mois de l'an, cartes en main. Moi, j'avais tempêté pour rester à Londres. Je voulais voir les Turner de la Tate Gallery. Victor et Véra cédaient aux raisons de ce genre, quoiqu'ils n'aimassent ni l'un ni l'autre l'idée de me savoir seule dans une ville étrangère. C'est ce que j'aimais, moi. Je n'étais jamais seule nulle part, mes anges étaient tellement gardiens. J'habitais dans un hôtel pour « jeunes filles non accompagnées » que Véra avait sélectionné parce que la directrice avait un nom d'oiseau qui lui plaisait : miss Rossignol ou quelque chose de ce genre.

— Un nom comme celui-là doit vous rendre gentil, avait conclu ma mère.

Ce en quoi elle se trompait.

Je me souviens de m'être sentie à la fois légère et angoissée à l'idée d'entrer au Ritz et d'avoir à chercher des yeux ce *charming french boy*, comme l'avait décrit l'amie de Véra, qui se consolait enfin de ses malheurs. Quels malheurs ? me demandais-je.

Tu m'avais dit que tu étais français et que cela m'aiderait à te reconnaître, mais, en fait, il y avait plusieurs hommes grands, bruns et seuls qui auraient pu passer pour français quand j'arrivai dans cette coquille surannée qu'est en bas, à gauche en entrant, le grand salon-bar du Ritz de Londres. Chaque fois que je retourne à Piccadilly depuis ce jour-là, je traverse l'hôtel célèbre dans sa longueur pour pouvoir constater que nous n'avons pas été trahis, que, oui, oui, il est toujours en sucre rose ce haut lieu de mes souvenirs et qu'en cherchant bien on y trouve encore, tenaces représentantes d'une espèce en voie de perdition, une ou deux dames gantées dont les chapeaux à la crème font écho aux gâteaux dans leurs assiettes.

Elles étaient nombreuses naturellement, les dames à gants, ce soir-là d'il y a trente ans. Elles finissaient de prendre le thé tandis que les grands hommes bruns qui auraient pu être toi et qui visiblement attendaient tous une femme avaient déjà commencé leur premier cocktail.

Un des mâles possibles, pas celui que j'aurais sélectionné entre tous, il y en avait un autre, demi-caché par une colonne si j'ai bonne mémoire, s'est levé et s'est dirigé vers moi. Je devais correspondre exactement à la définition : « Jeune fille un peu perdue et pressée qu'on la trouve, n'ayant jamais été au Ritz-bar d'aucune capitale. » La première chose que je me suis dite quand tu t'es approché, c'est qu'il était vieux le *charming boy* et qu'il n'avait pas l'air *french* du tout.

Comment pouvais-tu sembler *french* puisque tu venais à Londres pour t'angliciser justement? Pour t'acheter des costumes à Jermyn Street et des chaussures à St. James. Tu étais de ces hommes qui, à l'aide de nurses et d'affinités personnelles, ont l'accent anglais de naissance. C'était l'époque où tu buvais beaucoup, sous prétexte de soigner ce grand malheur dont avait parlé l'amie de Véra. Tu avais déjà un liquide transparent dans ton verre et tu m'as demandé, désinvolte, un rien de morgue cynique dans la voix, ce que je voulais prendre. « Ça! » ai-je dit en pointant mon doigt vers le liquide blanc. C'était plus simple d'avoir l'air de savoir sans poser de questions. Cela m'a tout à fait rassurée quand je t'ai entendu prononcer le mot Martini, en marmonnant ta commande au garçon. On connaissait, chez nous Victor-Véra, le Martini, même si le nôtre n'était pas de la même couleur. En effet! Et il n'y avait pas que la couleur. La première rasade de feu m'en a fait prendre conscience. Mais je lui dois beaucoup à cette flamme-là. Dès la deuxième goulée, je me suis calée dans mon fauteuil, j'ai regardé autour de nous, je t'ai trouvé beau, moins vieux, et je me suis mise à parler comme moi-même, comme si je n'avais plus peur du Ritz ni des hommes bruns. Sur une chaise dorée cannée à côté de toi, il y avait cet énorme paquet qui était à l'origine de notre rencontre.

– C'est une cafetière électrique qui vient d'Amérique. Il paraît que votre mère adore le café?

Oui, là-bas, à l'autre bout de l'Irlande, à l'autre bout du monde, ma mère adorait le café, et moi je me mettais à éprouver des sentiments comparables pour le décor, le tout petit œillet tigré que tu avais chiffonné à ta boutonnière et la femme élégamment fanée à la table d'à côté, qui distillait à voix haute une confidence de sourde vers sa voisine.

Après nous avoir commandé un deuxième liquide blanc, tu t'es tourné à peine et tu m'as regardée un moment, comme si tu n'avais pas absolument décidé ce que tu allais me dire, puis enfin tu as demandé avec indifférence :

– Vous êtes libre pour dîner?

Moi? Euh, non, je n'étais pas libre. Je devais retrouver la grosse fille belge de la chambre en face de la mienne dans « The Young Ladies Association Hostel ». Nous avions pris rendez-vous avec Clark Gable pour la séance de huit heures. Mais, d'un coup, je l'ai sauvagement oubliée la grosse jeune fille.

– Oui, oui, je suis libre, juste un coup de téléphone à donner.

Un coup de téléphone pour annoncer à miss Belgique qu'un ami de ma mère...

– Je vais aller me laver les mains, as-tu dit, regardant tes longs doigts avec dédain, comme s'ils avaient pu se salir au contact d'un verre blanc.

Tu étais encore dans ta chambre quand je suis revenue, allégée par mon mensonge, et je t'ai attendu devant mon cocktail que je n'osais pas avaler jusqu'au fond, sentant déjà que je n'étais plus tout à fait moi-même, mes yeux moins déroutés errant sur cet univers inconnu auquel je croyais appartenir grâce à la sorcellerie de l'alcool. Je t'ai regardé arriver, payer l'addition, et puis je t'ai suivi comme ça d'emblée, moi qui m'étais promis de ne jamais trahir une femme pour un homme, même une jeune fille belge, et j'ai commencé sans le savoir ma longue marche à tes côtés. J'aurais dû m'inquiéter de cette soumission spontanée qui ne m'était pas habituelle, y attribuer quelque importance. Non.

Ce soir-là, j'ai bu comme je ne l'avais jamais fait auparavant. Nous étions dans un petit restaurant sombre, dont je n'ai pas demandé le nom ni l'adresse, au cœur de Soho. Il y avait des tables aux pieds ronds et courts, des sièges bas, inconfortables et cirés et, tout près de moi, trop grand pour les meubles, penché en avant, il y avait toi qui me faisais peur et qui m'attirais sans que je me permette de le savoir.

A onze heures, il a fallu que je t'annonce mon départ : je devais retourner à mon couvent, j'aurais dû y être déjà. Miss Oiseau ne badinait pas sur la discipline. Tu t'es mis à rire fort, la tête en arrière, et cela m'a vexée.

Tu nous as raccompagnées, l'immense cafetière et moi. A la porte de ma prison, la gardienne a pincé les lèvres et regardé sa montre. Le soupir qui s'ensuivit disait : « Ces *french girls*, toutes les mêmes... » Et je me foutais de son soupir.

Je partais le lendemain, et toi tu restais quelques jours encore à Londres. Nous avons échangé nos adresses en France et je ne t'ai pas revu pendant six mois.

Les premiers temps à Glenmara, puis revenue à Paris, j'ai rêvassé à toi. Je ne te trouvais pas exactement mon type à l'époque – ça allait venir, chéri, ça allait venir... Nous n'avions pas échangé d'idées inoubliables. J'avais dit que je venais d'être reçue à ma philo deux mois plus tôt et que, pour me récompenser, mes parents m'avaient emmenée en Italie avant d'aller à Glenmara. Tu m'avais raconté ton divorce, ton petit garçon, et nous avions dansé entre les plats. Tes bras, tes bras durs qui encerclaient comme du fer... Ta façon de respirer un peu fort en dansant, le parfum de ton eau de toilette, presque trop obsédant, et qui m'a fait trouver fades jusqu'à ce jour les hommes inodores... Les hommes! C'est cela, Thomas, tu as été mon premier homme. Les autres, ceux que je voyais d'habitude à Paris, c'étaient des garçons. Après toi, ils m'ont semblé très verts, sans panache et sans mœurs, inaptes à commander un liquide blanc dans un bar, ne sachant que faire de leurs abattis quand ils dansaient, sans bras durs où se lover... Chapeau! tu avais fait table rase du premier coup.

Je ne t'ai pas téléphoné bien sûr en rentrant à Paris et, comme tu ne m'as pas fait signe non plus, je t'ai oublié doucement, sans souffrance. Tu étais une image météorique qui appartenait à une autre planète, « le jeune homme du Ritz ». Bientôt est venu le temps où je m'appliquai à tomber amoureuse d'un ami qui me le demandait instamment. J'aurais bien voulu lui rendre ce service, car je l'aimais beaucoup, même s'il était vert vif lui aussi. Victor avait un faible pour l'ami en question et l'emmenait dans son bureau quand il venait me voir.

J'ai été étonnée lorsque tu m'as appelée un soir, longtemps après, et bien entendu j'ai accepté ton invitation. Nous avons à nouveau dîné ensemble. C'était dans un restaurant décoré en jardin, n'est-ce pas? Je portais une robe bleue, une copie de Dior que Véra m'avait faite avec l'aide de « ma petite couturière », comme elle persistait à nommer une hommasse à bras de gigot. Je l'aimais beaucoup, cette robe. Tu m'as dit plus tard que tu l'avais trouvée très mal foutue sur moi. On n'y voyait pas mon corps. Tu me l'as gâchée, je ne l'ai jamais remise. Je ne sais plus ce qu'on s'est raconté ce soir-là. Comme cela m'ennuie, je ne sais plus du tout. J'avais des manches trois quarts. A un moment, tu m'as effleuré le poignet en parlant, je me suis sentie troublée par mon trouble. En me ramenant devant ma porte, tu m'as embrassée, à peine, comme on effleure. J'aurais voulu continuer.

Ensuite, ça a été très vite. Cela a même galopé, n'est-ce pas, mon amour? (Qu'est-ce que tu veux que je te dise? Oui, mon amour, je n'ai pas d'autre mot en tête pour toi quand je pense à ce moment-là.) C'était comme si cela n'avait pas dépendu de nous. On a été bousculés dans un ouragan de passion qui nous rendait saouls d'étonnement.

Non, non, jamais je n'avais prévu d'épouser quelqu'un comme toi. C'était un intellectuel à lunettes du genre de l'ami que je n'arrivais pas à aimer dont je voulais tomber amoureuse. Toi, tu n'avais rien à faire des jeunes filles sans corps sous leur robe. Et l'on s'est retrouvés serrés l'un contre l'autre, unis, indissolubles, et ne sachant pas pourquoi. Un soir, Victor avait une réunion des « Anciens de quelque chose... ». Tu as invité Véra à dîner avec nous et tu lui as demandé si tu pouvais m'épouser. Tu as dit ça très drôlement, comme s'il s'agissait d'un détail sans importance et que nous aurions d'ailleurs déjà résolu. Véra a beaucoup aimé. Il me semble que Victor aurait peut-être préféré que tu lui parles à lui « en homme ». Mais au fond, avec toi, tout passait par les femmes. Je me souviens, ton ami des folles années, Gérard, celui qui a été ton témoin à notre mariage, avait feint l'étonnement : tes aventures étaient toujours avec des femmes plus âgées que toi et, d'habitude, tu faisais la cour à la mère plutôt qu'à la fille. Ça aussi, Véra a aimé. Et c'est comme cela que la fille, la « chère mademoiselle » timide rencontrée au Ritz, est devenue ta femme et que, même quand elle ne l'a plus été, elle n'a pas su t'oublier.

C'est la banalité même, n'est-ce pas, de tenter d'imaginer quelle vie aurait été la sienne si un jour on n'avait pas été prendre livraison à Londres dans un bar doré d'une cafetière électrique venue d'Amérique ? Qui aurions-nous été, Thomas ? Qui aurions-nous aimé, nous qui nous sommes, un temps, aimés plus que nous-mêmes ?

Et qui aurions-nous fabriqué, chacun de notre côté? Tu aurais bien fini par faire un autre enfant à quelqu'un, non? Elle est culottée cette expression : « Faire un enfant à une femme »! Encore un mot à la Dagobert qu'il s'agirait de remettre à l'endroit. Valentine, je *te* l'ai faite en Italie. Tu te souviens? C'est impossible que tu ne te souviennes pas, on ne peut pas être mort à ce point-là.

Nous sommes partis dix jours pour Santa Margherita, dans ce fastueux hôtel sur la colline. En dessous, la petite plage blonde en forme de bras en rond avait l'air d'avoir été inventée par Boudin, avec ses parasols rayés qui claquaient dans le vent à la tombée du jour. On cherchait, dans l'ombre, la femme en robe de mousseline blanche assise, regardant les flots sous son ombrelle.

C'était le mois de juin. Le fastueux hôtel, encore désert, correspondait sans faille à tes normes les plus exigeantes. Discrètement obséquieux, les maîtres d'hôtel nous dirigeaient bienveillamment, comme si nous étions un peu malades de notre argent, vers des terrasses ombragées et fleuries où, prenant la relève, des garçons dénués de hanches dans leurs livrées d'un blanc amidonné se penchaient avec des attentions d'infirmière vers nos assiettes, et nous déjeunions sans hâte. Parfois, il m'arrivait de m'ennuyer doucement, rien qu'un peu, n'ayant pas encore attrapé, oiseau fugace, la raison de cet ennui. Le soir, on allait au Night Club, un radeau posé sur l'eau. Par mer forte, on recevait en pleine gueule les mousseux embruns. C'était délicieux dans la nuit pâle, cette mer du soir en pleine gueule. Constellés de gouttes d'eau, enlacés, parfaitement imbriqués l'un à l'autre, nos corps faisaient l'amour en dansant. Tu dansais comme un dieu. Moi, je le crains, comme une mortelle. Tu me foudroyais du regard quand je me trompais de pas. Mais, vite, tes bras me pardonnaient.

Une de ces nuits au Night Club, l'orchestre qui avait vu que tu dansais comme un dieu a continué à jouer jusqu'à ce que la nuit ne soit plus la nuit, jusqu'à ce qu'il n'y ait que nous sur la piste et que la légèreté de l'atmosphère nous fasse douter de notre existence même. Tu leur envoyais des whiskies, encore d'autres whiskies, et nous dansions toujours, titubant de fatigue, la peau salée, brûlée de soleil, sachant que nous étions jeunes et beaux et éternels.

Pourquoi, au cours d'un de ces déjeuners où nous évoquions – après que tu eus accepté de me revoir – certains moments furtifs de notre passé partagé, pourquoi ai-je oublié, avant que tu ne meures, de parler avec toi de cette nuit-là si unique qui sentait la tubéreuse et le coquillage? Personne d'autre que moi ne la connaît maintenant, notre nuit, toute longue d'avoir traîné jusqu'à l'aube, tout importante pour nous trois. Car c'est à l'aube, quand nous sommes rentrés à l'hôtel, j'en suis sûre, c'est ce matin-là, avant de nous assoupir, que nous avons fabriqué Valentine. Il faudra que je le lui raconte un jour. Les gens ont le droit de savoir quand ils ont pris forme, et c'est un joli moment pour commencer à être, n'est-ce pas? Un soir-matin, après que vos parents se sont grisés d'étreintes et de tendresses au bord de la mer.

Tu n'avais pas voulu d'enfant tout de suite. « Je veux profiter de toi », disais-tu. Mais moi, je l'attendais depuis toujours, Valentine. Depuis toujours, j'avais pensé ma vie « avec » enfant. J'en aurais voulu quelques-uns, trois quatre, un peu bouclés comme leur père. Mais tu avais déjà un fils et tu savais que cela ne t'amusait qu'à moitié, cette histoire-là : te faire détrôner par la prochaine génération. Tu es – zut! comme j'ai du mal à te mettre au passé infini –, tu étais un personnage assez mythologique au fond, Thom. Tu aurais bien joué ton petit Cronos, toi aussi, et bouffé tes descendants pour qu'ils ne te dévorent pas à leur heure, ou pire, en l'occurrence, qu'ils ne détournent pas de toi les yeux de ta femme.

Tu avais raison de te méfier. Quand Valentine est née, elle a changé à jamais la direction de mon regard. J'ai été atteinte une fois pour toutes de strabisme maternel. Quoi que je fasse, je regarde aussi dans sa direction. Jamais je ne pense pas à elle.

J'avais honte de le dire, ce n'est pas joli comme sentiment, mais j'étais triste que tu aies déjà eu un enfant. Tu avais tout fait avant moi, aimé, désaimé, épousé, divorcé, couché, découché. Ce n'était pas juste que tu ne puisses même pas être vierge devant la paternité. Moi, j'avais fait des progrès en fausse maternité. Je ne suis qu'une bonne femme, quoi, je ne pouvais pas résister longtemps au sentiment qu'il avait besoin de moi, ton fils, et que, ne parviendrais-je qu'à être une mère de second choix pour lui, c'était beaucoup mieux que rien. Et tant pis si je devais me forcer pour l'embrasser. Il y a des êtres plus chiens que les autres. Moi je suis très chien. Je flaire. J'aime les gens plus complètement quand ils m'attirent. Je ne me dis pas : « Je suis en train de subir une attraction », mais c'est ainsi. Le contrôleur d'autobus, le vieux cordonnier ou la petite fille de la concierge exercent ou n'exercent pas un pouvoir physique sur moi. Il y a en particulier les enfants que j'ai envie de croquer, envers lesquels j'éprouve d'emblée une sorte de cannibalisme affectif, et les autres. Jonas était des autres. Peut-être parce qu'il ressemblait tellement à sa mère et qu'au fond, tout en n'en sachant rien, cela ne devait pas me laisser totalement indifférente que tu aies aimé la mère de Jonas et souffert par elle. Je me pose la question, mais je ne peux pas y répondre. Je ne me connaissais pas, j'étais trop jeune, je me suis oubliée.

Je ne te parlais pas souvent de mes relations avec ton fils. Tu trouvais que tout se passait normalement entre nous. Je l'emmenais au cinéma voir *Zorro* quand il était en vacances et je le faisais changer de chaussettes. Cela te suffisait. Tout était dans l'ordre. L'ennui, c'est que moi j'avais besoin de savoir vraiment ce que je pensais de Jonas. Ce que j'éprouvais à son égard. Je voulais bien faire semblant, mais ce que *j'éprouvais*, il me le fallait clair. Une fois que je me suis tout bien avoué, à quel point il me compliquait la vie et comme je me serais bien passée de lui, je me suis mise à l'aimer, ton fils. Cela n'a même pas été un effort. Lui aussi, ça lui arrivait. On se traficotait ainsi en sourdine un ersatz de sentiment essentiel composé sans aucun des vrais ingrédients, et qui se prouverait résistant aux épreuves du temps et du cœur, comme le plastique tient tête au cuir.

Mais j'aime mieux le cuir. Ah! oui, c'est autre chose l'amour en larmes qui vous taraude le corps quand on vient de donner le jour. Tiens? pourquoi ne dirait-on pas : « donner le jour et la nuit » ? C'est beau et c'est infâme, l'accouchement. Je ne te l'ai jamais vraiment dit. Ce que c'est pudibond, une femme. Enfin, c'est plutôt que j'avais peur que tu ne me désires plus, si je te racontais, toi qui n'avais pas pu assister aux cours donnés « aux jeunes pères, avec projection de film et diagrammes grandeur nature » – tu avais peur de te trouver mal –, si je te racontais à quel point c'était rouge et cruel, et animal blessé, cette histoire-là. Je ne t'ai jamais confié les choses de l'ombre qui vous traversent ni même l'amour différent à jamais que j'ai éprouvé pour ma mère cette nuit-là où est née Valentine. Oui, un amour écorché vif. Elle aussi, la petite chérie au bassin étroit, elle avait fait ça pour moi, poliment, sans me prévenir que c'était un truc impossible, ce « mal joli » comme elle l'appelait toujours. J' t'en fous! C'est toujours un peu laid, le mal. Elle m'avait si soigneusement épargnée avant l'heure, ma mère.

Et toi, tu es devenu, en cette même nuit, un peu un étranger, mon cher amour perdu. Toi qui ne savais pas, toi l'homme, l'autre, le lointain désirable et jamais d'assez près approché. Toi qui n'avais rien imaginé. On ne s'en sort pas d'être mater : c'est toujours un peu dolorosa. J'ai pleuré sans larmes, après Valentine, de ne plus t'aimer de la même façon... Et ran! on remet ça. Je ne t'en ai aimé que plus, va, avec plus d'efforts de soumission, plus de gestes, toujours plus de gestes, puisque j'avais constaté avec honte, au fond de moi, que je t'aimais moins.

Tu n'as pas apprécié d'emblée le ménage à trois. Tu as mis du temps à dominer cette hargne inconsciente et glacée qui t'a envahi comme une lame de fond quand tu as compris que j'éprouvais une incomparable passion pour un autre être que toi. Ta première femme ne t'avait pas fait ce coup-là, elle qui ne vous aimait plus ni l'un ni l'autre après la naissance de Jonas... C'est dans notre escalier, il me semble, que tu as pris conscience de ce qui a bien dû être un drame épisodique pour toi. Nous revenions de la clinique, moi et mon corps en creux et le produit de ce corps, un paquet rose enfoui sous la dentelle dans un panier que tu portais. Je marchais devant toi, dans cet état de griserie légère comme en donnerait avant midi un champagne bu au soleil, et qui tourne la tête des jeunes mères encore tout interdites par leur nouveau statut. Grisée et tendre, et les jambes un peu flottantes, je me retournais à chaque marche pour contempler le père et l'enfant, le père portant l'enfant, et pour vous aimer l'autre et l'une dans le même regard. Tu tenais les deux anses du panier où Valentine était endormie, et tout à coup j'ai vu, oh! si furtif, si rapide, j'ai vu ton regard effrayé, presque méchant, tourné vers la petite inconnue entortillée dans son châle. Il y avait comme une répulsion inquiète dans ces yeux-là : « Qu'es-tu en train de changer à ma vie? Ai-je bien fait de participer à ta mise au monde? » Tu avais l'air d'un enfant boudeur plutôt que d'un père extasié. J'ai tourné la tête. Je voulais refuser l'inquiétude, j'ai continué à sourire et, quand un peu plus tard tu as levé les yeux vers moi, l'ombre avait quitté ton visage.

C'est étrange, mais peu après mon retour à la maison — était-ce dû à la naissance de Valentine, à cette responsabilité soudain définitive ou au subtil déplacement de nos rapports à toi et à moi qui en découlait? — j'ai eu conscience qu'une certaine forme de sérénité s'éloignait de moi. Je me suis mise à me poser des questions dont la gravité ne m'avait pas effleurée jusque-là. De ces grandes questions qui ne mènent à rien en tout cas, et dont on n'attrape jamais la réponse. Où allais-je? A quoi servais-je? N'avais-je donc rien d'autre à faire de ma vie que la vivre au jour le jour, comme un oiseau futile? Je ne me sentais même pas une mère à part entière, j'étais épisodique et occasionnelle. Car nous avions « une personne » pour Valentine, une personne que je n'aimais pas. Elle s'était occupée de plusieurs bébés dans ta famille, y compris de Jonas, jusqu'à ce qu'il eût trois ans. Elle les quittait à trois ans mais, pendant tout le temps de sa présence, elle les prêtait difficilement. Elle me faisait une peur terrible, la personne, elle me parlait comme si j'étais encore une enfant, et mal élevée en plus, puisque ce n'était pas elle qui s'en était occupée, et ne me laissait jouer qu'à regret avec ma fille. En revanche, elle lui prenait sous mes yeux, comme s'ils étaient son dû, des baisers propriétaires qu'elle ne me permettait de donner moi-même qu'avec parcimonie. J'avais toujours l'impression que j'étais de trop dans ce que Winifred refusait de nommer autrement que la « nursery ». Car la personne était anglaise, une de ces increvables vieilles nurses de Paris qui ont travaillé chez tout le monde où, bien entendu, c'était mieux que chez vous. Winifred me signalait sans cesse que c'était *past time* et que mon bébé, MON BÉBÉ à moi, fait ventre, devait dormir, manger ou déféquer et que toutes ces activités avaient avantage à se passer sans regard de mère. Je venais d'avoir vingt-trois ans. Est-ce que je pouvais faire face à une vieille nurse anglaise, moi? De surcroît, pour mieux éloigner les plus braves, Winifred élevait toujours « ses » *babies* toutes fenêtres ouvertes, m'assurant, quand je frissonnais en entrant dans la chambre, que cela permettrait à ma fille de faire face à la vie et de garder ses dents. Winifred avait dû être élevée fenêtres fermées, car elle déposait les siennes, de dents, dans un verre d'eau, le soir. Et, si j'entendais pleurer mon enfant, la nuit, et que je me levais pour aller voir, c'est une cerbère à bouche de pieuvre qui tendait à me dissuader de passer la porte, parce que si *baby* voit sa mère on n'en finit plus. A part cela, elle était parfaite. Et ta mère et toi lui faisiez toute confiance. Bien sûr, toute confiance : ses biberons étaient stérilisés. Mais elle voulait aussi que mes étreintes soient stériles. « Tah... tah... tah... », disait-elle comme si j'enfreignais une loi légendaire, lançant son clavier en avant, pour mieux me manger mon enfant, quand j'écrasais contre moi la chose rose et blanche que j'avais faite, en essayant à toute pompe, car nos minutes étaient comptées, de lui chuchoter dans l'oreille des bêtises chaudes qui, je l'espérais, survivraient à mon éviction. « Tah... tah... tah..., vous allez l'énerver. » Et alors, on n'avait pas le droit d'énerver sa fille ? Chaque jour, je me forgeais un peu plus de courage pour la braver. Peut-être ai-je réussi. Un soir, un joli soir dans ma mémoire, elle est venue te voir, elle préférait nettement les pères aux mères, on s'en débarrasse plus vite dans les nurseries, et elle t'a déclaré, péremptoire, qu'elle n'était pas jeune après tous ces bébés qu'elle avait soignés et que d'ailleurs il lui semblait que je n'appréciais pas ses méthodes. Aussi elle ne resterait pas trois ans, elle me rendrait mon bien avant qu'il ne soit élevé tout à fait, purgé maté édulcoré, bref, un pauvre bien dont je n'aurais sûrement pas à me vanter par la suite. Elle partirait après Noël. J'étais comme une enfant des écoles qui apprend qu'au trimestre prochain le prof de maths, eh bien, il ne reviendra pas, quand tu m'as informée que nous n'aurions pas à purger notre peine jusqu'au bout, Valentine et moi, que nous avions gagné presque un an et étions libérées sans avoir eu à faire la belle, et Jonas avec nous, qui devait marcher à côté de la voiture « my boy! », lorsque miss emmenait bébé au jardin. J'ai choisi ma prochaine alliée sans diplôme et avec cœur, et ma fille est enfin devenue à moi.

Bizarrement, c'est cela qui a fait naître, je crois, mon désir de m'appartenir à mon tour. Je ne me suis pas formulé tout cela, je n'étais encore que la proie d'une incertitude rêveuse, mais je me souviens très exactement du jour où tout cela s'est éclairé. Le moment de ta « vision », comme Véra s'est empressée de raconter l'histoire après que je lui en eus parlé.

Ce matin-là, lorsque je me suis réveillée pour de bon, tu étais déjà parti depuis longtemps pour l'usine. Et, comme souvent avant que tu ne te lèves, nous avions fait un amour endormi, un amour de caresses chaudes inachevées, prometteuses... Tu avais plaisir à laisser ta trace sur ma peau. Glissant, glissant tes mains entre mes cuisses, embrassant juste un peu le bout de mes seins, tu aimais, avant de nous séparer l'un l'autre, nous laisser au bord d'une jouissance que nous ferions tout naturellement feu-d'artificer le soir venu.

J'étais là, dans notre grand lit, gardant sur mes lèvres le goût salé de ta bouche, les yeux mi-clos, effleurant de la main le drap rose pour y retrouver la forme de ton corps en creux. Je flottais dans l'irresponsable bien-être : femme de joie, femme de sexe, femme d'homme. Et puis, d'un coup, je me suis dressée sur mes oreillers comme si on m'avait appelée, comme si je sortais de moi-même. Je ne peux pas mieux m'expliquer. Cela demeure un moment pas tout à fait définissable. De ces instants où, par le truchement du quotidien, on accède soudain à une autre dimension qui vous effarouche.

J'ai regardé les murs de ma chambre, les

tableaux, la commode anglaise avec, au-dessus, sa glace dorée, les rideaux rose très pâle en soie, et puis je me suis vue, moi, au milieu de tout ça, comme si j'étais une autre. J'ai vu ma vie à côté de moi, telle qu'elle se déroulait : les matins chauds et doux, le temps passé à t'attendre, les jeux avec Valentine, les bouquets dans les vases, les soirs tendres, les grands dîners, les matins chauds... Tout cela a dû être très bref, mais je ne bougeais pas car je voulais prolonger ce trouble déroutant et j'avais conscience que je pouvais tout effacer de cet instant. Il m'aurait suffi de me lever, de marcher vers la salle de bains en chantonnant comme je le faisais souvent, de verser des sels « rose géranium » sous le robinet de la baignoire, pour redevenir l'heureuse personne amnésique qui conviendrait à mon ancien confort.

Je ne suis pas redevenue celle-là, Thom. J'ai pourtant fait jusqu'au soir les gestes habituels, accompli les tâches qui m'étaient dévolues. Il me semble qu'il y avait cinq ou six invités à dîner. J'ai dû discuter le menu avec Jeanette et aller chez le coiffeur. Rien n'était changé en apparence. Une journée comme les autres. Tu es rentré déjeuner. Tu revenais encore souvent à cette époque. J'ai apprécié la douceur chaude de ta joue contre la mienne, nous avons parlé comme d'habitude, mais le tambour souterrain continuait à battre son rappel quand tu es reparti et jusqu'à ton retour le soir. Tu sais, ces contes de nourrice auxquels aucun de nous n'a échappé : « Ne fais pas de grimaces. Si le vent tourne, tu resteras comme cela. » Le vent avait tourné, Thom. Et, si je ne m'étais pas trouvée, dorénavant j'allais chercher le chemin qui menait à moi.

Je me suis souvent demandé par la suite pour-

quoi ce matin-là? Après cet amour-là? Cela aurait
pu durer longtemps, longtemps, mon doux esclavage. Car je n'étais pas malheureuse. Non, non, que je
n'aille pas surtout me raconter des histoires. J'aimais notre vie, Thomas, le bel appartement et
même d'une certaine façon la nurse bourreau de
mère mais parfaite qui me laissait dormir des nuits
sans faille, à côté de toi, et j'aimais le salon blanc où
j'avais pendu, cédant à l'insistance de Véra, des
rideaux gris à mon goût à moi. Et puis surtout
j'aimais toi, mon homme à tout faire, à me fustiger,
à me caresser, à me dominer, à me garder pour lui,
mon homme, mon homme, mon horizon. Alors
pourquoi, soudain, ce matin-là?

C'est une question qui restera sans réponse. Plutôt, chacun de nous aurait la sienne à ce sujet.

Le soir, nos invités sont venus, sont repartis.
L'occasion était toute trouvée pour ne te parler de
rien. D'ailleurs, étais-tu quelqu'un auquel on pouvait déclarer : « Depuis ce matin, ma vie avec toi et
Valentine ne me suffit plus. Je veux faire quelque
chose par moi-même. Pourrais-tu m'aider?... » Non,
tu le sais bien, Thomas. Il était impensable que je
partage ce désir-là avec toi. Tu n'y aurais pas vu un
acte en ma faveur, mais seulement un geste en ta
défaveur.

Tard dans la nuit, nous avons repris notre délicieux amour interrompu. Il me semble que je me
suis un peu moins abandonnée...

Il pleut. Mais Valentine est tout de même partie
pique-niquer avec des amis. Ce n'est pas la pluie qui
gêne en Irlande. D'ailleurs, s'il pleut, c'est qu'il ne va
plus pleuvoir, comme disent les gens d'ici. J'ai passé
la matinée à ranger la maison, à la caresser plutôt.
Nous allons partir bientôt. J'ai chaque fois le même
petit déchirement quand je quitte Glenmara, j'aime

négocier celui-ci à tempérament. Maintenant je vais m'asseoir devant un œuf à la coque et continuer à dialoguer avec nous. Où en étais-je de nous? Enfin plutôt de moi, de moi et de mon travail? De moi et de mes subits et impératifs désirs? Oh! pas loin, j'en étais encore au prélude, quand tu ne savais pas, Thom.

« Un bachot », comme l'examen se nommait encore à l'époque, une première année à l'Ecole du Louvre avant le mariage, le parfait bagage de la jeune femme ne pouvant servir à rien : j'ai passé quelques jours à penser en silence à ce rien. Je ne voulais pas que cela se voie, que *tu* me voies. J'étais comme ces enfants qui fument dans les cabinets et qui chassent le nuage de tabac dès qu'ils entendent des pas. Je feignais l'intérêt, la disponibilité quand tu étais présent, et en dessous, derrière le masque, l'impérative machine tournait sans relâche. Que faire et comment? Ah! j'aurais aimé naître musicienne ou bonne sœur, avoir une vocation chevillée à l'âme et pouvoir imposer celle-ci à mon entourage. Le plus facile encore, naturellement, cela aurait été de naître homme. A-t-on jamais vu un homme qui n'ose pas dire à sa femme qu'il veut travailler? Moi, au début de notre mariage, ce qui fut difficile, c'est d'avouer à ma mère que je ne travaillerais pas. Véra s'était refusée à me donner une éducation de fille. Elle qui, pour ainsi dire, n'avait jamais parlé de la foi m'avait offert, dès l'âge du catéchisme, une religion de l'effort et de l'accomplissement. Il est probable que ce genre d'enseignement finit toujours par vous rattraper et vous fourguer des remords aussi épais que le péché mortel en offre aux croyants. « Il faut apporter sa pierre à l'édifice », disait ma mère. Les grands mots ne lui avaient jamais fait la moindre peur et j'avais conscience de sa désapprobation muette quand elle lançait des phrases en l'air, pesantes comme des boisseaux de plomb, au sujet des « gens » qui n'ont pas de métier. Elle, elle serait devenue « folle à Sainte-Anne » si elle n'avait rien fait. Mais je m'étais arrangée jusque-là pour feindre de ne pas entendre le son de sa cloche. J'étais dorénavant à toi avant d'être à elle, jusqu'à ce matin-là où toute mon éducation a fini par affleurer de nouveau à la surface. C'est ainsi, maintenant que ma mère est morte, que je me raconte l'histoire. Mais, au moment de ma « vision », je ne savais pas qu'elle avait sa part dans ma nouvelle approche de moi-même. Je croyais que j'étais en train de m'inventer, et cela m'était utile. Il faut parfois oublier que l'on ne se doit pas tout.

Mais, si ma mère regorgeait d'idées, elle ne se préoccupait pas des moyens de leur exécution. Et elle était passée maître, ainsi que Victor, dans l'art du conseil abstrait. Mes parents choisissaient d'emblée les solutions irrationnelles. A cause de ce qu'elle s'obstinait à appeler « tes études au Louvre », ma mère me voyait destinée d'office à une position clé. Quant au chemin à emprunter pour en arriver là, elle me laissait libre : « Tu es assez débrouillarde pour... » Où donc Véra avait-elle pris que j'étais débrouillarde ? Non, c'est plutôt qu'elle avait toujours surestimé la méthode Coué. « Tu n'es pas malade..., tu n'es pas malade..., tu vas réussir ton examen... » J'ai été élevée par certitudes anticipées.

– Tu pourrais très bien être à la tête d'un musée. Il y en a plein qui sont très mal tenus, disait Véra, ou commissaire-priseuse à Drouot. (Véra a été une pionnière de la féminisation des mots.)

Tiens? Drouot, justement! Quoi qu'en ait décidé

ma mère, j'étais encore très timide à l'époque et il m'a fallu user un maxe sur moi-même des pouvoirs persuasifs de sa méthode favorite, mais j'ai fini par téléphoner et puis par aller voir une femme que j'avais rencontrée avec toi à un dîner et qui avait un poste important à Drouot. Nous avions parlé, elle m'avait plu. On s'oublie, on se connaît mal à l'intérieur, mais peut-être l'avais-je enviée à l'époque, dans sa liberté agissante. Elle m'avait dit en passant que son service cherchait des gens pour s'occuper des catalogues d'expositions. Je me suis proposée, on m'a offert un travail expérimental : une vente de petits maîtres du XVIIIe.

A ce moment-là, avec une peur que j'aime à comparer à l'inquiétude d'une Louise Weiss lorsqu'il s'agissait pour elle d'annoncer à son père qu'elle avait été reçue à l'agrégation, elle qui avait dû travailler en chambre à la sauvette, car ce père n'acceptait pas l'idée d'une jeune fille à la Sorbonne, avec cette même appréhension chevillée au cœur, il a bien fallu que je finisse par t'annoncer, comme on s'accuse, la proposition qui m'avait été faite.

Tu as été interdit, Thom. Je suis sûre que tu as été plus soufflé encore qu'il ne m'est possible de m'en souvenir. C'était comme si je décrétais que j'étais malheureuse ou mal aimée, moi qui avais été tellement gâtée. « Quoi? l'oiseau ne se plaît plus dans sa cage? Ingrat volatile! »

Une fois de plus, ta mère a été mon alliée :

– Elle a des moyens et besoin de s'en servir, a-t-elle dit doucement. Tu devrais la féliciter et l'aider.

Tu acceptais souvent ce que disait Christine. Sans bien entendu me féliciter le moins du monde, tu as pris note une fois pour toutes de ma décision, me laissant comprendre que tu l'acceptais par libéralisme où pointait un soupçon de condescendance. Mais qu'on ne t'en reparle plus.

En effet, nous n'en avons jamais plus reparlé.

Tu ne trouves pas que j'étais folle, Thomas? Folle de ne pas tenter de t'amener à mes vues, de ne pas m'asseoir à côté de toi pour t'expliquer, pour te dire que mon travail ne nuirait pas à notre entente, que ce n'était pas t'être infidèle que de penser à autre chose qu'à toi? Non, j'ai admis ton silence lourd de sous-entendus et, lorsque tu rentrais le soir, je répondais à ta question habituelle, dorénavant posée sans chaleur : « Qu'as-tu fait aujourd'hui? » par cette phrase laconique : « J'ai travaillé. » Je me cachais ce qu'il y avait d'anormal dans notre relation, je te plaignais presque, je te plaignais complètement – il ne faut pas que je me dore le souvenir –, comme si je t'avais abandonné, comme si cela devenait ma faute exclusivement chaque fois qu'une de tes paires de chaussettes était mal roulée dans le tiroir.

Je ne t'en veux pas, tu sais. C'est à moi que j'en veux d'avoir été si malhabile et si humble, d'avoir rangé chaque soir à la fin du jour le petit bureau de notre chambre pour qu'il n'y reste pas de traces de mon activité coupable et feint une paresse d'odalisque inactive quand je t'attendais dans le salon. L'odalisque allait avoir à se changer sous peu; nous sortions beaucoup à cette époque-là, cela faisait partie de tes affaires et parfois tu trouvais que c'était fatigant, et tu le disais en soupirant. Mais l'odalisque, elle, n'avait pas le droit d'être fatiguée. Si l'odalisque avait deux vies, c'était sa faute, elle n'avait qu'à se plaindre à elle-même et tout bas s'il vous plaît. Et, si par malheur sa seconde vie empiétait sur la première et faisait ainsi de l'ombre à son seigneur, attention, l'odalisque!

Alors, je me gardais pour moi-même, lassitude incluse, quand le seigneur demandait encore une fois : « Quelle robe vas-tu mettre ce soir? » D'ailleurs, j'aimais l'intérêt que tu portais à mes vêtements, ton œil sûr. Je me suis aperçue par la suite que c'est très rare l'espèce d'homme qui sait regarder une femme, vraiment regarder. Tu faisais même plus, tu savais l'habiller. Tu passais ta main, je me souviens, dans mon soutien-gorge et tu me montrais comment il fallait y ranger son sein. « Voilà, comme ça. » Tu me faisais tourner et marcher pour voir si les plis de ma jupe tombaient bien. Je te demandais laquelle de tes femmes t'avait donné des leçons. Tu ne répondais pas. Il ne devait plus y avoir de passé, ni pour toi ni pour moi. Pour un peu tu m'aurais fait une scène de jalousie parce que, avant toi, il m'était arrivé d'embrasser une bouche ou de tenir une main. Tu ne nous accordais pas le droit au souvenir, nous devions nous appartenir dans un présent qui n'aurait pas de fin. Soyons sincères, ton absolutisme me flattait. J'étais portée par ta passion.

J'étais belle, n'est-ce pas, à ce moment-là? On a le droit de se dire cela tout de même, je me dis bien le contraire ces temps-ci. Je crois que je n'ai jamais été mieux qu'aux abords de mes trente ans : l'âge fleur et fruit. Je conserve encore, comme une caresse, le souvenir des regards des hommes dans la rue. Le moment où il y a plein de regards. Pas les vicelards et les voyards. Non, l'œil qui s'attarde, qui s'appuie presque avec tendresse, l'œil reconnaissant : « Merci d'être belles et jeunes, femmes qui passez! » Oui, les beaux yeux qui vous voient, pour lesquels votre peau, vos jambes, vos lèvres ne sont pas perdues, qui vous rappellent que vous êtes jolie quand vous n'y pensiez pas. Je n'ai jamais rien compris aux connes qui se tortillent et grimacent de dégoût : « Oh! tous ces hommes dans la rue qui... » Eh bien quoi, tous ces hommes qui?... Vous aimez mieux les hommes qui pas?... Attendez, ça viendra, c'est réglé comme un faire-part mortuaire, ça vient, l'autre temps, et c'est peut-être ce qu'il y a de plus imprévu dans la mélancolie du vieillissement, la fin des regards. Je n'en suis pas encore tout à fait là, elle marche encore un peu, la brave machine, mais je vois déjà le port. Et j'aimais mieux le grand large, le beau, le riche milieu de la jeunesse, même si c'était dur à cette époque-là de concilier les contraires. Il y a un moment où une femme, qui, tout à la fois, aime, est aimée, possède des parents, des enfants et a un métier, se transforme pour la diversité des besoins de ses causes en une sorte de divinité hindoue avec des mains tout autour du corps. Dès que tu avais fermé la porte, le matin, Thomas, je changeais de main en vitesse et je me mettais au travail avec un sentiment de soulagement et de bien-être que j'aurais aimé partager avec toi. Je ne comprends toujours pas comment tu as pu nous priver de cette intimité-là. Je comprends moins encore ma soumission. Ce que celle-ci avait de servile et de niais et quelle ombre elle menaçait de porter sur l'avenir. C'est d'ailleurs le moment où notre vie s'est mise à nous échapper un peu, n'est-ce pas?

Un jour, tu m'as annoncé que tu devais partir pour un mois, peut-être deux, aux U.S.A. Nous qui depuis notre mariage ne nous étions pas séparés plus de quelques jours, c'était brutal et imprévu comme une révolution. Tu m'as promis de me faire venir pour un court séjour au milieu de ton voyage après la conférence à laquelle tu devais participer.

– Si naturellement ton travail le permet, as-tu ajouté.

Chaque occasion était bonne pour persifler. Mais tu étais aussi malheureux que moi à l'idée de notre séparation. Merci pour cela au moins, le grand perdu. Un sentiment, même mort, c'est d'importance. Je te promets, en moi il vit encore...

Tiens? Voilà déjà Valentine. On l'entend toujours de loin quand elle revient sur le petit chemin. Elle chantonne une rengaine irlandaise qu'elle a apprise enfant : « Ne sois pas triste, Mary, Paddy reviendra bientôt... bientôt... »

Ne sois pas triste, Iris, il ne faut pas que ta fille te voie assise comme ça à ne rien faire et pourtant l'air occupé. Vite, quelque chose. Un geste de tous les jours. Une soupe, c'est ça, il fait presque froid, Valentine doit être trempée. La grande casserole, les oignons..., les carottes...

– Très bon, ton potage, dit Valentine.

Elle en reprend une pleine louchée. Je l'observe tandis qu'elle lampe. C'est toujours un rassurant plaisir de regarder son enfant manger.

Valentine ajoute comme pour elle-même :

– Je n'en fais jamais, de soupe, à la maison.

Quand elle dit « à la maison », cela m'émeut un petit peu. C'est vrai, elle a une maison, cet oiseau sur la branche. Ce n'est plus la mienne, sa maison.

– Simon n'aime pas la soupe?

– Simon n'a pas de plaisir à se mettre à table, tu sais bien. Il préfère « pignocher » comme il dit. Ça l'ennuie un repas entier, ça le fait piaffer, c'est trop long.

– Mais enfin, quand même vous dînez? Quand vous rentrez l'un et l'autre, vous mettez le couvert, vous vous asseyez? Chaque fois que je vais chez toi, on ne croque pas que des noisettes.

– C'est comme pour la soupe. Quand il y a quelqu'un, des amis, on est normaux, mais seuls, non, je te promets, on ne bouffe pas à table. On va prendre un verre aux Deux Magots avec des copains. Quand on revient, celui qui a faim ouvre le frigidaire et se plonge dans un livre ou écoute de la musique. On n'a pas d'heure fixe. C'est peut-être comme cela que l'on peut dire que nous ne formons pas un couple. Un couple rompt le pain. Avec Pierre, c'est baroque, mais je respecte l'heure des repas. Quand je vais chez lui, j'aime bien préparer son dîner. Tu sais que j'adore faire la cuisine. D'abord, il a faim, Pierre, et puis il apprécie. Il dit : « C'est bon » quand c'est bon, et il en reprend. Moi, j'ai besoin de commentaires... Simon avale comme s'il n'avait pas de papilles gustatives. Tiens, à propos de Pierre, il m'a envoyé un mot. Il va quitter le pays de Galles, tu sais cette communauté d'artistes où il passe quelques jours, et c'est possible qu'il vienne à Glenmara avant qu'on s'en aille, toi et moi.

– Pierre?

Je laisse passer un temps. Ça me déplaît de recevoir l'amant de ma fille. Pourquoi Pierre ici?

– Tu as peur que je ne te transforme en mère maquerelle?

– Non, mais je suis pour sérier les questions. Tu es à toi et tu fais ce que tu veux et, tu as remarqué, je m'arrange pour ne pas m'en mêler. Mais je trouve par ailleurs que tu ne dois pas m'y mêler non plus.

– Enfin, c'est pas la première fois qu'un ami vient à Glenmara.

– Un ami avec lequel on couche n'est pas seulement un ami.

– Mais si, justement, dans le cas de Pierre, c'est comme ça. Un ami avec lequel je couche parce qu'il couche bien, et que nous ne vivons pas ensemble pour l'instant, Simon et moi, et que j'essaie désespérément de me détacher de lui ou de m'y rattacher, j'sais pas. En tout cas, Pierre est un moyen d'atteindre l'un ou l'autre de ces objectifs. Je le vois comme tel.

Valentine a débité cela d'une traite, articulant comme si elle parlait à une enfant arriérée. Je me tais. Parce que je ne sais pas quoi dire. Quoi dire, Thom? Valentine fronce sa figure dans une de ces moues grognonnes dont elle a l'exclusivité et qui, venant des autres, provoquerait de sa part une question abrupte : « Qu'est-ce que tu as? Tu boudes? » Elle me regarde enfin dans les yeux, comme pour m'intimider. Ça marche. Elle m'intimide un peu.

– On le mettra dans la chambre grise, dit-elle.

– Joseph O'Leary n'est toujours pas venu reposer les ardoises sur le toit, ça pleut dans cette soupente, tu sais bien.

Je me redresse et réponds à son regard toujours fixé sur moi.

– En tous les cas, si vous couchez ensemble, inutile de faire des scénarios bidons. Mets-le dans ton lit et puis voilà.

– J'aime coucher avec lui, mais pas dormir avec lui. Les gens ne comprennent jamais ça. Même avec

84

Simon, cela a fait un drame au début. Lui, c'était l'image de la conjugalité qui le rassurait, qu'on soit bien ou mal ensemble. « Condamnés de draps communs », voilà ce qu'il voulait pour nous.

Moi qui aimais tellement dormir avec toi, Thom!

Valentine se lève et met sa main sur mes épaules. Cela lui a fait du bien de râler contre Simon, elle sourit presque.

– Allez, fais pas ta vieille mère du siècle dernier. J'ai bien cohabité avec ton amant à l'occasion. Et, pourtant, j'étais pas folle de lui, ni de ceux que je ne connaissais pas.

– Ecoute, on ne va pas se mettre à dresser des listes. Mais, à t'entendre, on dirait qu'un régiment m'est passé sur le corps alors que je suis sûre, quoique j'aie pas mal d'années de plus, que j'ai eu pas mal d'hommes de moins que toi.

Elle va enlever sa main. Je n'ai pas envie qu'elle enlève sa main. Je pose la mienne dessus et j'appuie. Avant de dire :

– Quoi qu'il en soit, mon cas était différent du tien. J'étais une femme divorcée lorsque tu as connu « mon amant ». Et, même à ce moment-là, j'essayais de sérier les questions. Quand j'étais avec toi, je n'étais pas avec lui. Ça me gêne de ratifier ta situation avec Pierre en le recevant ici. Et puis enfin, j'aime Simon et il est le mari de ma fille.

J'ai donné un coup sur la table en disant cela.

– Moi aussi, j'aime Simon, sans cela je l'aurais déjà quitté depuis longtemps. Et je ne vois pas ce qu'il a à faire là-dedans. Tu es idiote de te mettre la tête sous l'aile. Monsieur mon mari et moi, nous nous sommes donné un mois de congé. Tu sais, il revoit la fille qu'il avait avant moi, c'est lui qui me l'a dit. Dans un mois, à la fin août, nous nous retrouverons et nous aviserons. La tête claire, M. Simon et Mme Valentine Rouge aviseront.

Valentine se lève, elle va chercher une cigarette sur le buffet, elle l'allume nerveusement et elle ajoute, hachurant ses mots tandis qu'elle pompe la fumée :

— Je ne peux pas te supporter quand tu fais Madame Vertu. Ça te va comme un manche.

Elle se trompe : ce n'est pas Madame Truc que je fais, c'est la femme que je suis. Une femme qui ne peut pas faire deux choses à la fois. Quand j'aimais Jean, je ne t'aimais plus, Thomas. Cependant, ma défense ne tient pas debout. Et, si je n'accepte pas son gars, elle ira ailleurs avec lui. Qu'aurons-nous gagné les uns et les autres? Si ma fille en a envie, qu'elle le fasse, qu'elle le prenne ici, au moins j'aurai une opinion sur lui.

Elle me regarde avec sa tête de petite fille conquérante. Elle sait que j'ai cédé. Elle me méprise peut-être un peu pour ma lâcheté. On est deux : moi aussi je me méprise dans un coin. J'ai envie d'avoir pitié de moi parce que Valentine a raison et que je n'ai pas tort et que je suis lâche par amour d'elle.

— Fais comme tu veux, dis-je enfin.

Un signe de tête, même pas merci. Elle est en train de s'éplucher cette petite peau sèche qu'elle a depuis l'enfance au milieu de la lèvre inférieure. J'ai toujours détesté ce geste. Elle s'acharne, elle va finir par s'enlever toute la lèvre. J'ai une vision idiote de ma fille sans bouche. Je chasse la vision idiote. Le téléphone se met à sonner. Dieu, qu'elle est puissante, cette sonnerie! Valentine se lève lentement et va à la cuisine en fermant la porte. Il nous sauve en quelque sorte, ce téléphone. Qui cela peut-il bien être à cette heure-ci? Quand ma fille est à côté de moi depuis que vous avez tous filé, les autres, j'ai moins peur des mauvaises nouvelles. C'est pas Jonas tout de même? Il a déjà appelé depuis qu'il est retourné en Amérique, après l'enterrement. J'entends des « ouais... ouais... » négligents. Non, ce n'est pas Jonas. Et c'est pour elle évidemment, sans cela elle m'aurait déjà appelée.

Elle revient s'asseoir.

– Pierre arrive demain, dit-elle. Il ne restera pas longtemps, son projet amerlo se précise. Il aimerait bien que j'aille avec lui en Californie. Pourquoi pas, au fond? J'irais voir Jonas et je dégotterais sûrement du travail là-bas. Il paraît que c'est très facile.

Je ne réponds pas. Calme-toi, Iris, continue à te taire. Ne t'exclame surtout pas comme tu en as envie : « Quoi? Du travail là-bas quand tu viens de trouver exactement ce que tu voulais ici? Tu m'as dit l'autre jour que tu étais si contente d'être enfin assistante de film et que tu avais des projets et que... »

Valentine l'attend, ma phrase de mère. Elle trouve qu'elle ne vient pas assez vite. Elle me regarde, perplexe, impatiente, je lui *dois* un esclandre. Pour me punir, elle va se remettre à éplucher sa lèvre comme un salsifis. C'est vrai, j'en conviens, j'ai fait des progrès. Autrefois, il y a si peu de temps, avant ta mort, Thom, elle aurait déferlé à tout bersingue ma phrase de mère. Mais maintenant je ne suis plus moi seule, il faut parfois que je sois toi aussi avec notre fille. Tu aurais eu un morgueux silence et c'est elle en fin de compte qui se serait mise à se justifier. Je ne peux quand même pas aller jusque-là. Morgueux silence, je n'ai pas la manière. Alors, sans bouger de ma place, sans même lever les yeux, je tends les bras et je me mets à débarrasser

la table et je dis un peu bas, comme si je rêvais, –
d'ailleurs, je rêve :

– Moi aussi j'irais bien aux Amériques un de ces
jours, je ne suis pas retournée là-bas depuis que ton
père et moi...

Je n'oublierai jamais l'instant de ton départ. Tu
m'as serrée, une étreinte chaude et silencieuse. En
moi cette impression d'être secouée par une lourde
houle de larmes refusées. Tu as claqué la porte, le
même bruit que quand tu t'en allais en colère.
L'écho de tes pas, et soudain la solitude.

Bon, tant mieux, tu étais parti. Le pire s'était
produit, je n'avais plus qu'à commencer à t'attendre. Je me suis assise dans l'entrée une minute. La
houle s'apaisait. J'ai respiré jusqu'au fond, puis je
me suis levée et, machinalement, j'ai ouvert la porte
du salon. Alors, je me suis plantée au milieu de la
pièce et j'ai regardé autour de moi. J'ai reçu comme
une gifle imprévue dans les yeux. Il était horrible,
ce salon. Comment avais-je jamais pu le supporter?
HORRIBLE, tout y était à la mauvaise place. Et ce
gris, ce gris trop vert que j'avais choisi moi-même
pour les rideaux, quelle erreur, ce gris. J'ai eu envie
de tout jeter, là, immédiatement. Mais on ne peut
pas mettre un salon entier à la poubelle. J'ai eu
alors besoin de changer chaque meuble de place.
Un désir frénétique décuplait mes forces. Mais
d'abord s'attaquer au pire, là-bas, entre les deux
fenêtres, l'espèce de grand monstre de divan, en
cuir mal foutu au mauvais endroit. Je me suis

accrochée à lui, il pesait le poids d'une Cadillac, le veau, et je me suis mise à l'ébranler, à le pousser, à le tirer. Il ne m'est même pas venu l'idée de demander de l'aide. Nous avons atterri ensemble de l'autre côté de la pièce, grand veau et moi, et poliment il s'est inscrit tout de suite à sa nouvelle place comme s'il n'attendait que ça depuis dix ans. J'ai continué à tout chambouler ainsi un bon morceau de la matinée. Je ne pensais à rien d'autre. Je n'avais même pas le temps de savoir que tu étais parti. Je ne serais libre qu'après avoir refait cette pièce à ma façon, voilà! Tout à coup, Jeanette est venue m'annoncer que le déjeuner était prêt. Je n'avais pas faim mais un goût de victoire dans la bouche. Elle avait mis deux couverts, l'un en face de l'autre, aux places habituelles. « Ça vous fera une compagnie. » Jeanette était un poète.

J'ai avalé sans y penser. J'ai besoin de la communion à table. Et je suis retournée à mon chantier.

– Mais qu'est-ce que vous faites? psalmodiait Jeanette. Vot' mari va pas être content.

Je crois qu'elle disait des trucs de ce genre-là, car je n'écoutais rien. Le soir venu, les tableaux changés de place, tous les petits objets familiers exilés dans un tiroir, la table bouillotte fourguée dans une autre pièce, j'ai été tout droit à mon bureau pour t'écrire, avouer mes larmes maintenant que tu n'étais pas là pour les voir, te raconter les détails imperceptibles et te répéter que je t'aimais : « Mon amour, ma bouée, mon cœur, mon parti en m'emportant, mon amant..., mon frère... » Je ne sais pas ce que je te disais. Il n'y a plus de lettres de moi. Quand je t'ai quitté, tu les as toutes brûlées, m'as-tu dit, espérant que ton sentiment pour moi se consumerait du même coup.

Après le dîner avec Valentine, j'ai été lancer ma

grosse enveloppe à la poste et en revenant, quand j'ai traversé le salon, je l'ai trouvé si admirable que j'ai eu envie d'y passer la nuit roulée dans un fauteuil, et soudain j'ai songé que je ne t'avais pas parlé du tout des changements que j'avais faits là. Cela m'a étonnée un instant, sans plus, et pourtant... Comme chaque fois que tu n'étais pas avec moi, j'ai mis ton oreiller à côté de moi pour figurer ton corps dans le lit et j'ai dormi contre l'oreiller. Quand tu n'étais pas avec moi... Cela n'arrivait pas souvent, cela n'avait jamais duré longtemps et, lorsque nous nous retrouvions, tout était en place, ton absence avait été comme un blanc dans notre vie. Cette fois-là, les choses se sont déroulées différemment. Dès le premier jour, avec le souverain talent des enfants pour piger les opportunités, Valentine s'est arrangée pour me garder à plein temps dans ma fonction maternelle. Si tu étais à la maison, tu faisais souvent objection à la part de moi que je lui abandonnais. Tu m'appelais quand je lui racontais, le soir, une histoire qui te semblait durer trop longtemps. Tu allais presque jusqu'à faire des comptes : « Il y a une heure que tu es avec ta fille! » criais-tu. Eh bien, je restais maintenant pendant tout son temps libre avec ma fille. Je me sentais redevenir matrice, comme si j'étais enceinte à nouveau, tout investie par celle dont je devenais la chose. Je passais d'un maître à l'autre en quelque sorte et je m'en trouvais bien. Nous parlions de toi, elle et moi, nous évoquions ton retour. Quelquefois, quand j'avais lu tard dans le salon, le soir, je la retrouvais dans mon lit. Petit chat furtif, elle s'était faufilée sans être vue et dormait à ta place sur l'oreiller, ses cheveux bruns torsadés autour de son visage comme de minces serpents. Je la serrais, cette petite toi femelle, et je me rassurais de notre étreinte. Il était temps qu'elle parte. Que je découvre la riche solitude.

J'ai envoyé Valentine chez sa grand-mère à Cannes pour les vacances de Pâques et je me suis mise à travailler fort. Je voulais finir, avant de te rejoindre, mon premier catalogue. J'ai trouvé cela délicieux d'œuvrer à ma guise, sans honte ni remords. Puisque tu n'étais pas là, je laissais tous mes documents sur le bureau de ma chambre. J'avais plaisir, lorsque je passais devant ce fouillis, à penser que mon travail n'était pas interrompu, qu'il y avait comme une continuation harmonique : je pouvais recommencer quand je voulais, à n'importe quelle heure sans gêner personne. Ah! on était bien avec soi. Je restais devant mes papiers souvent tard dans la nuit, cela me flattait ça aussi. J'avais parfois le sentiment d'en être encore au temps des examens, quand on prenait de l'éphédrine avec Solange pour avoir le privilège d'apprendre à la lumière de la lampe ce que nous aurions tout aussi bien pu ingurgiter à celle du jour. Ma solitude me reportait en arrière, j'étais comme retournée en jeunesse.

Je ne mangeais que ce que j'aimais. Parfois la même chose trois jours de suite, à l'effarement de Jeanette qui menaçait de te prévenir par télégramme que je ne voulais plus de viande. Mentalement, j'ai toujours été une végétarienne, cela me perturbe de manger ces cousins, même éloignés, que sont les mammifères, mais je combattais ma tendance pour ne pas t'agacer. C'était confortable tout à coup de n'agacer personne et de prendre exclusivement mes désirs en considération. Je n'avais plus à craindre de t'agacer non plus en ayant souvent Victor-Véra à la maison, en les emmenant au théâtre, au cinéma, recréant un instant notre passé à tous les trois quand nous vivions en symbiose dans l'appartement de Montparnasse. Ta mère habitait presque complètement à Cannes à l'époque, tu ne comprenais pas volontiers que les parents des autres puissent parfois peser sur ces autres du fait même que ceux-ci les aimaient et avaient plaisir à leur rendre la vie douce. « Tu es leur esclave », me disais-tu parfois et il y avait plus de mépris que de tendresse dans ta voix. Je ne trouvais pas les bonnes phrases pour t'expliquer les raisons d'un dévouement affectif qui me semblait si naturel. N'étais-je pas ton esclave à toi aussi? C'était reposant de n'avoir tout à coup rien à expliquer. J'étais triste, très triste, j'étais seule de ton absence, mais, d'une certaine façon que j'avais garde de trop m'avouer, j'étais soulagée par elle, dans des proportions que j'avais été loin de pouvoir imaginer. Y avait-il des signes de cette dualité dans mes messages quotidiens? T'inquiétais-tu de mon état d'âme? Je ne crois pas. Tes lettres arrivaient tendres et belles. J'y répondais avec passion et je les promenais dans mon sac. Sauf la dernière, celle reçue juste avant mon départ pour New York. Elle était grinçante, celle-là.

Je t'avais écrit la semaine d'avant que j'avais organisé un dîner à la maison. C'est le salon nouvelle manière, je crois, qui m'avait donné cette idée. J'avais invité Solange et son mari qui t'ennuyait et mon autre amie de classe favorite, « la folle-dingue » comme tu l'appelais. Elle, Tonia, ne t'ennuyait pas, tu la trouvais séduisante et drôle, mais elle te faisait peur. Car ce que tu craignais avant tout pour moi, c'était la contagion. Tu l'aurais préférée en ancienne amie à toi, qui sait, en ancienne maîtresse? Cela aurait été facile, car Tonia a toujours professé depuis l'adolescence la plus saine amoralité. Je lui avais proposé d'amener son amant du moment, ces objets-là changent vite avec Tonia. Dernièrement elle donne de préférence dans les minets de la génération de son fils, mais à cette époque-là l'amant de service était un homme d'affaires que tu connaissais, qui avait le double de son âge et plus d'argent que nous tous réunis autour de la table. Charmant d'ailleurs, l'affable P.-D.G., avec sa figure en pâté de foie et ses mains d'évêque. Tonia le traitait en « papa de sucre » comme disent les Américains et, si ce grand-oncle gâteau semblait apprécier le traitement, ça lui donnait l'air bête.

J'étais contente, en me préparant pour leur arrivée, de retrouver mes vieilles copes sans avoir à m'excuser auprès de toi que ces copes-là aient des maris, des amants qui n'avaient pas été fabriqués sur mesure pour te plaire. En fait, avouons-nous maintenant ce que je n'osais pas me dire alors : j'appréciais avec un étonnement inquiet de n'être qu'un. C'était une découverte. J'étais passée de trois à deux, à trois de nouveau, je n'avais jamais été un.

Le matin du dîner, Tonia m'avait téléphoné :

– Ecoute, j'ai un ami anglais « hâdorable » qui vient de débarquer. Tu veux que je l'amène? Je parie que, par amour pour Thomas, tu n'as pris personne pour le remplacer?

Tonia avait toujours été stupéfiée par ma capacité à la fidélité. A ses yeux, cela demeurait une performance aussi difficile que pour moi de chanter le grand air de *La Traviata*. Mais elle ne s'était pas trompée, je n'avais invité personne en vis-à-vis. Elle a donc amené son « hâdorable ».

Le dîner a été très drôle et gai. Ils ont beaucoup bu et, à cause de cela, même le mari de Solange s'est prouvé presque... buvable. J'étais assez satisfaite de moi le lendemain matin. J'avais pu donner un dîner toute seule, na! Quelle pauv' tarte! Mais oui, il faut me voir telle que j'étais, une pauvre comme ça. Alors, ce fameux lendemain de gloire, je me suis encore une fois assise à ma table pour te raconter, je t'ai même envoyé le menu que j'avais dessiné et je t'ai parlé du joli jeune homme que Tonia avait apporté sous son bras. C'est vrai qu'il était charmant. Je m'étais habituée depuis toi aux hommes plus âgés que moi, cela m'étonnait presque d'avoir trouvé du plaisir à le regarder et à l'écouter, ce garçon de mon âge. A peine venais-je de sceller ma lettre que le garçon de mon âge me téléphonait pour me remercier et me dire qu'il aimerait bien me revoir. Etais-je libre, le soir, le lendemain? Ensuite il repartait.

Par chance, je ne l'étais pas, libre. Victor-Véra m'avaient invitée à dîner et, le jour suivant, j'avais promis à Solange de passer la soirée avec elle car Xavier avait un repas d'affaires. Ce n'était pas souvent que nous avions, elle et moi, l'occasion de bricoler patiemment, à l'aide de « tu t' rappelles? », le puzzle de notre intimité de jeunesse perdue dans l'âge adulte. Mais je me suis dit dans un éclair que, si je n'avais eu aucune brave raison solide pour lui dire non merci au joli jeune homme blond, eh bien...

Eh bien, quand j'ai reçu ta dernière lettre quelques jours plus tard, j'ai regretté qu'il ait passé la Manche, celui-là. Pour un peu j'aurais demandé son adresse à Tonia qui se serait montrée ravie de participer à ma « normalisation » comme elle disait et j'aurais envoyé un télégramme : « Revenez-hâdorable-suis-en-manque-tendresse-amitié-compréhension-Urgent. » Elle était terrible, ta lettre, mon ex-aimé. Et c'était pour ce grognard conjugal que je menais une vie de bonne sœur dans un Paris pavé de jeunes gens aux cheveux d'or?

Quoi? Un grand dîner? (Tu soulignais en épais le mot « grand ».) Quelle idée! Et pourquoi avoir été chercher Tonia? Ça allait être commode maintenant dans les affaires d'avoir à être au courant de sa liaison avec X – son nom a filé aussi à celui-là. Et qu'est-ce que c'était que ce « jeune homme »? J'invitais chez nous des gens que je ne connaissais pas maintenant? (Oh! il y avait longtemps, je ne faisais que ça. Oui, tes industriels, tes banquiers étaient des inconnus et j'aurais bien aimé souvent qu'ils le restassent.) Je fulminais en te lisant. J'enrageais que tu ne sois pas là pour que je puisse te répondre, que cela dégénère en une de ces bonnes scènes rouges qui nous laissaient pantelants et parfois même plus amoureux.

Je partais le lendemain pour te rejoindre et, je le savais, tu n'aurais même pas honte de ta sortie en m'accueillant. Au contraire, tu t'arrangerais pour me donner des remords. Et ta lettre continuait : Quel âge avait-il donc ce garçon, il était encore en culottes courtes? Avec « mon » amie Tonia, on ne pouvait jamais savoir... Car il était son autre amant, naturellement. Histoire de faire l'équilibre... A moins que « mon amie » ne l'ait amené, ce soir-là, pour me le fourguer dans les pattes (possible), et bien sûr elle avait réussi son coup. On ne parlait que de lui dans ma lettre (faux). C'était agréable pour un homme seul et loin de recevoir des trucs de ce genre écrits par sa propre femme!

Comme pour me protéger des effets de ma fureur, j'ai déchiré ta lettre après l'avoir lue et, tout de suite après, je l'ai regretté, et j'ai été en ramasser les confettis dans la corbeille.

Avant de m'en aller, j'ai envoyé mon catalogue à

Drouot. Puis j'ai fermé mes bagages en les claquant trop fort, j'ai laissé tout mon fouillis étalé sur le bureau de la chambre – on est chez soi dans sa chambre, non? même si on partage celle-ci avec un homme (et ne serait-ce qu'une petite liberté comme celle-là, Thom, une misérable liberté de détail, cela sonnait comme une révélation; enfin, toi, tu aurais plutôt dit que c'était un glas) –, et je suis partie, m'en moquant presque si je ne te trouvais pas à l'autre bout.

Victor-Véra avaient insisté pour me conduire à l'aéroport. Véra éprouvait depuis toujours une peur viscérale de l'avion, mais elle aimait flatter cette peur, flirter avec elle dans les halls de départ. Je revois la dernière image avant de m'engouffrer dans le corridor : devant moi, de l'autre côté du contrôle des douanes, feignant de contenir son émotion mais encourageant celle-ci en sourdine, ma mère droite et sérieuse dans son tailleur, bleu « Royal Air Force » comme elle disait, ses jolis yeux de même couleur bombés par les larmes. On aurait pu croire que je m'en allais à jamais.

Moi, j'ai toujours aimé l'avion. Je m'y sens comme un Icare qui aurait réussi son coup. Et puis, dès que je suis montée, je ne sais plus où je suis et même si je suis. Cela me délasse. Ce jour-là, c'était la première fois que j'allais aussi loin. Je regardais autour de moi, avec une curiosité aiguisée par la solitude, les inconnus du Nord-Boeing qui m'entouraient, des étrangers un instant proches puisque nous partagions le même sort.

Tu étais à l'aéroport, élégant bien sûr, quand t'ai-je vu autrement? Je t'ai trouvé beau, un peu aminci, un peu mystère, subtilement modifié par notre éloignement, et j'ai désiré à nouveau, sans réfléchir, ta douce odeur poivrée et tes bras familiers qui reprenaient leur place autour de moi. Bon, c'était simple, il n'y avait que toi, rien ni personne, que j'aimais autant que toi. Allez vous rhabiller, petits jeunes gens blonds, vous ne faites pas le poids.

A l'hôtel, que tu avais choisi palatial bien entendu, j'ai découvert l'Amérique dès ouverte la porte de ma chambre. Sept ou huit bouquets m'attendaient. C'était bien la première fois que je me sentais Garbo. Ils étaient envoyés par des confrères ou des gens qui participaient à ton colloque. Une foule d'inconnus chaleureux me souhaitaient un bon séjour, des amis que je ne connaissais pas m'adoptaient sans examen. Je me souviens de m'être promenée de fleur en fleur, je n'en reconnaissais pour ainsi dire aucune. Elles ressemblaient toutes de loin à leurs cousines pauvres de France, mais elles étaient si grosses, si vitaminées que je ne pouvais m'amener à croire que ces choux-là étaient des roses, ces grands oiseaux violâtres, becs ouverts, des orchidées. Je m'en suis épinglé une sur le corsage, faut que ça serve ces bêtes-là, et, descendant pour le dîner, j'ai commencé à vivre mes étonnements. Je n'ai pas eu à aller plus loin que l'ascenseur. A côté de nous, une dame âgée habillée de rose frais, le visage en figue très mûre, a tendu vers moi son bras au fanon tremblant :

– Oh! ne l'écrasez pas, elle est trop *beautiful*.

Et, sans me consulter, elle a repoussé délicatement le col du manteau sur mes épaules. Ce n'est pas qu'elle appartenait à la Société protectrice des pétales, cette dame en rose. Non, elle appartenait juste au continent Amérique et cela lui donnait le droit d'entrer sans frapper dans mon intimité. Tu étais un peu agacé. Moi, j'ai tout de suite aimé ça. Je la vois encore, un frais sourire en porcelaine et un panier de fruits en tulle sur la tête. Elle n'était pas seule de son espèce, loin de là. Dans la rue, il y avait de ses comparses en abondance avec des plats de spaghettis bleus au même endroit ou des bigoudis dorés, qui promenaient leur chien, enfin leur papillon à l'œil exorbité, leur colifichet à poils, leur vermicule à collier de diamant, et je suis persuadée que chacune d'elles aurait apprécié semblablement que je lui offre un commentaire joyeux au sujet, par exemple, du manteau de vison assorti au sien où se dandinaient nombre de ces plus ridicules conquêtes de la femme. Je me demande si l'Amérique continue à être cette étrange usine à vieilles dames éternellement jeunes.

Oui, il faut que j'y retourne, Thomas, pour regarder avec mes yeux d'aujourd'hui et apprécier même d'y être sans toi, toute libre de ma pensée. Tu as été plusieurs fois à New York par la suite, mais tu n'as jamais voulu m'y emmener. Tu avais senti toi aussi, n'est-ce pas, que quelque chose s'était passé là-bas? Et cela s'était peut-être même passé avant que je n'y arrive? J'étais comme ces adolescents que l'on a envoyés en vacances à l'étranger et que l'on ne reconnaît pas tout à fait sur le quai de la gare au retour. Moi-même, je ne me reconnaissais pas tout à fait, mon temps de solitude à Paris m'avait changée.

Et puis, il y a eu cette soirée, Thom. Ah! cette

soirée! Nous n'en avons jamais vraiment parlé ensuite, mais elle nous a marqués.

Tu m'avais dit :

– Fais-toi belle, très belle, c'est chez des amis d'un client important, il paraît que c'est toujours fantastique leurs réceptions. Pourquoi ne mettrais-tu pas ta robe...?

Je ne sais plus laquelle bien sûr, mais c'était certainement un machin décolleté, fendu, moulant, comme tu les aimais. Ma robe de pute, quoi! Tu appréciais le fait de posséder une jeune fille rangée dans une robe qui ne l'était pas, et moi j'appréciais ton regard quand tu étais satisfait de ton bien.

Robe de pute ou d'ange, cela a été en effet une soirée particulière. Les amis du client habitaient au soixantième étage ou plus au cœur de New York. Nous avons sonné plusieurs fois en vain, bien que le bruit de l'autre côté de la paroi nous prouvât clairement que nous ne nous étions pas trompés de porte. Enfin, une petite fille de onze, douze ans, la leur présumément, est venue ouvrir comme par hasard. Auréolée de ce gracieux mystère qui entoure les enfants silencieux, elle nous a fait signe de la suivre.

Tout était blanc dans l'appartement et démesuré. A l'autre bout d'un immense vestibule, on entendait d'encore plus près le raffut habituel : un mélange de rires, de verres tintants et de musique sauvage. A la suite de l'enfant muette, nous avons traversé un couloir, nous taisant nous aussi. Elle était ravissante, la petite fille muette, avec quelque chose de trouble, de dérangeant dont je n'arrivais pas à découvrir l'origine. Et c'est seulement lorsque, après nous avoir montré la chambre où s'empilaient les manteaux et la salle de bains avoisinante, elle nous a adressé en guise d'adieu un demi-sourire les yeux baissés, tirant sur les volants de sa robe gaufrée, que j'ai compris. La petite fille était fardée. Elle avait les joues rose pâle jusqu'à l'oreille, pas l'ombre d'une ride et pour cause, mais une ombre grise sur sa paupière en satin blanc, sur sa paupière toute lisse, impeccablement neuve, sans passé, une ombre savante tracée de main de maître par ce petit clown expert et éthéré. La courbe à peine esquissée de ses seins sur son torse étroit, sa bouche en framboise et le trait de crayon cursif qui dessinait ses sourcils, tout cela semblait à la fois une promesse et une menace, la femme fatalement là sous l'enfant fraîche au regard innocent qui ouvrait la porte en dansant sur un pied. L'être sous l'être... Elle avait des cheveux plats et longs, d'un blond presque blanc, et des yeux comme des barques bleu et vert qui se promenaient sur vous sans s'attarder. J'aurais voulu la garder, la regarder longtemps encore, maintenant que j'avais réalisé son secret. Mais la petite fille s'est comme diluée derrière une porte et nous avons erré un temps, cherchant le salon. Le maître de maison s'y tenait debout. Grand et mince, tout habillé de noir, une écharpe nouée en lavallière autour de son cou, son crâne était rasé à la bonze. Il nous tendit une main baguée. C'était le genre d'homme qui regardait les femmes sans inhibitions. Même si l'on feignait de s'intéresser ailleurs, l'on sentait exactement à quel endroit de votre anatomie était en train de s'attarder son œil violeur. Pratiqué sans hâte, l'examen était méthodique et approfondi. J'ai toujours détesté les représentants de cette espèce animale qui se sert sur la bête sans demander la permission.

Le bonze fit un geste du bras.

– Ma femme ne doit pas être loin, je vais sûrement vous la trouver par là. *But, let's have a drink.*

Un *drink*, c'est exactement de cela que j'avais besoin. Le petit malaise insidieux qui s'était infiltré sous ma peau dès l'arrivée, ce sentiment orphelin de ne pas faire corps avec les lieux, d'errer comme perdue dans une forêt d'êtres différents et indifférents, s'installait, prenait de la place, je sentais qu'il était là pour durer. Je levai les yeux vers toi, Thom. Tu cachais ta perplexité sous une désinvolture un peu supérieure ou bien, plus simplement – toi, tu avais déjà dû en croiser beaucoup des soirées de ce genre, n'est-ce pas, Thom? –, tu étais irrité par l'insistant intérêt que me manifestait l'homme au crâne rasé. Car, si tu aimais que je sois regardable, les choses commençaient parfois à se gâcher lorsqu'on me regardait de trop près. Il t'arrivait d'engueuler les gens dans la rue, tu en serais aisément venu aux coups quand on s'appropriait ton bien, ne serait-ce qu'avec les yeux.

Le barman emplit nos verres, j'approchai mes lèvres d'un whisky couleur de thé des Indes tant il était fort et je cherchai un mot à dire. Je ne le trouvai pas. Il me semblait que tout mon anglais m'avait quittée comme on est vidé de son sang. Non, il ne fallait pas compter sur moi pour prononcer correctement le plus modeste *yes*. Mais le maître de maison n'en demandait pas tant. Il venait d'atteindre le niveau de mes chevilles dans son inspection, nous allions bientôt être libres, mon corps et moi. Je lui aurais volontiers dit merci pour cet abandon quand le bonze en question se dérida dans un sourire de trente-six dents :

– *Make yourself at home*, dit-il, mâchouillant ses mots à la façon d'un chewing-gum. Ici, vous savez, nous avons pour habitude d'oublier le nom de nos invités, vous pouvez faire tout ce qui vous chante et, si vous êtes fatigués (il eut un sourire complice vers moi), il y a des chambres, là-bas. Faites comme chez vous (nouveau sourire complice), *it's none of our business*, ce n'est pas notre affaire. Ici c'est la liberté.

Et, profitant de la sienne, il installa un bon moment sa main sur le rond de mon épaule nue.

– Vous avez une très jolie robe, *baby*, dit-il pour conclure, prenez du bon temps, la vie est courte.

Sa main était froide. Il y avait un mélange de douceur et de menace dans sa voix. Je frissonnai malgré moi. Pourtant, je voulais bien prendre du bon temps, mais comment?

Tu tendis encore ton verre au barman.

– Je me demande ce qu'on fout ici, as-tu grogné quand notre hôte fut parti. Et mon client qui n'est même pas en vue.

Je te pris le bras.

– Ils dansent, on dirait, là-bas. On y va?

Cela nous rassurait toujours de danser ensemble.

Tu as bu une grande rasade de ton verre avant d'acquiescer. Nous avons traversé un petit salon dans la pénombre. Sur des divans bas, des silhouettes prostrées, sans visage, se passaient une cigarette courte à peine incandescente de main en main, de bouche en bouche. J'étais tellement ignorante, qu'est-ce que je raconte? j'étais tellement attardée, Thom, que je n'ai pas compris ce qu'ils faisaient là.

– Ils fument, as-tu dit. Oh! ça a l'air d'être seulement du hasch...

Dans la pièce avoisinante, un projecteur tomba sur nous comme un faisceau lumineux dans une salle d'interrogation policière. Sur une estrade, un grand chanteur noir dépoitraillé, moulé dans une salopette en satin blanc découvrant ses épaules luisantes, bramait plus fort que les deux guitares qui l'accompagnaient, les yeux fermés, le menton haut, une main posée en coquille sur son sexe.

Des filles belles et provocantes dansaient seules devant des hommes beaux et provocants, fières d'être à l'aise dans leur peau nue. Tu me regardais sombrement. Pourquoi, sur ton conseil, montrais-je mon corps, moi aussi? Tu me désirais soudain en robe de bure. Et, nous effleurant au passage, les sirènes au visage impudique continuaient à onduler autour de nous comme si elles allaient, malgré toi, m'entraîner dans leur sillage.

Soudain la lumière a baissé et la musique est devenue langoureuse. Je dansais avec incertitude. Tu venais de m'attraper parce que je m'étais trompée de rythme quand : « Tap-danse », quelqu'un s'est approché et t'a signifié qu'il était en droit de s'approprier ta cavalière. Tu m'as regardée m'éloigner avec un reproche dans les yeux, me donnant l'impression que je m'étais mal conduite, et tu es reparti dans l'autre pièce.

Mon danseur sentait le tabac refroidi et remuait sans grâce. Je ne voyais aucune raison de rester avec lui. A la première pause, je lui ai tourné le dos. Toi et moi nous sommes retrouvés au bar. Tu avais bu pendant mon absence. Tu m'as demandé, d'une drôle de voix lointaine, si je m'amusais. Je ne savais pas. J'avais juste conscience du poids du mystère errant dans cette soirée, d'un inconnu que je n'arrivais pas à saisir et qui me gênait. J'en étais à mon deuxième, à mon troisième whisky, je ne les comptais plus, je flottais au-dessus de moi-même, quand une femme belle et brune s'est approchée et m'a prise par le bras. Tu semblais la connaître.

– Non, non, a dit la femme, les *husbands* et les *wives* ne doivent pas être ensemble ce soir.

Elle a fait un signe à un dégingandé en smoking blanc : « Occupe-toi de... » et elle t'a entraîné. Tu ne t'es pas retourné. Le grand en blanc, visiblement ennuyé par sa mission, m'a fait faire un tour de piste, les yeux ailleurs, puis m'a plantée là sans explication. J'ai erré un moment, de pièce en pièce. Je commençais à réaliser que j'avais trop bu. J'ai été vers une sorte de verrière décorée de plantes qui prolongeait le salon comme un jardin. Tu étais assis dans l'ombre à côté d'une fille, enfin d'une femme en robe claire. Il faisait presque noir, je ne voyais pas son visage mais il m'a semblé que tu lui parlais dans les yeux, la main sur son genou. Agrandi par l'alcool, cela m'a paru là un geste d'une gravité inadmissible, Thom. Mais naturellement tout s'éclairait, tu la connaissais, tu étais venu pour elle à cette party. Je voulais aller vers vous, gifler la fille, faire quelque chose d'utile. Cela te plairait peut-être : tu te plaignais souvent que je n'étais pas jalouse. Mais peut-on être jalouse avec un jaloux? Je me retins. La femme claire allait se moquer. Tout le monde avait les mains sur tout le monde, ce soir. De quoi aurais-je l'air en disant : « Rendez-moi cet homme et sa main et ses yeux qui regardent les vôtres, tout cela est à moi »? Je tirai sur ma robe de pute pour faire le poids avec toutes ces créatures au corsage fendu jusqu'au nombril, et je tournais le dos à la scène quand ran, « tap-danse » encore une fois, un homme carré, plutôt beau, m'a entraînée vers la piste. Jamais avant ce soir-là je n'avais réfléchi à l'insulte que représente pour une femme cette façon de la choisir avant qu'elle n'ait le choix. L'homme carré plutôt beau était complètement saoul. Il collait son corps dense et musclé contre le

104

mien, je sentais son sexe buter contre mon ventre. On a tangué ainsi quelques minutes jusqu'au milieu de la pièce et, quand la musique s'est arrêtée, il s'est planté sur place et, me maintenant contre lui, il m'a embrassée sur la bouche. Pas un de ces baisers onduleux comme étaient les tiens, avec tes lèvres douces et dures qui s'attardaient jusqu'à l'insupportable, non, une pression farouche de bête indifférente et goulue.

C'est bizarre, j'y ai pensé par la suite, je n'ai pas protesté. Le goulu m'a prise solidement par le bras et m'a emmenée au bar. Le bar? Oui, pourquoi pas? Après tout, il n'y avait que ça de raisonnable, être saoule, puisque en tout cas j'avais déjà trop bu. Je ne savais pas ce que tu faisais là-bas, avec les femmes impudiques, et je commençais à m'en moquer. D'ailleurs, je devais être en train de vivre un temps à côté de la vie. Ce n'était pas possible que tout cela soit vrai. Non, plutôt un rêve où flottait, dorénavant protégée du malaise, une autre que moi qui porterait mon nom. Soudain, le beau saoul a posé son verre, il s'est penché sur cette autre que moi et lui a pris les seins en récitant, la mâchoire serrée, l'œil méchant, des phrases dénuées pour moi de sens. J'essayais de me dégager. Nous avons lutté tandis qu'il s'employait à ouvrir ma robe. Tout cela a duré un temps infini et flou, un temps, je dois m'avouer, que je n'ai pas trouvé désagréable, un temps sexuel et sauvage comme l'éternel combat entre l'homme et la femme. Il me semble qu'à un moment je me suis comme abandonnée. Je t'avais oublié, Thom, pour la première fois, oublié! L'homme carré m'a prise contre lui.

– Viens! m'a-t-il dit avec hargne. Viens, *you bitch*!

J'ai toujours du mal à traduire *bitch* en français. Femelle ne fait pas vraiment l'affaire, il y a quelque chose de plus méprisant dans le mot *bitch*. Et la bitch-moi, soudain, n'y trouvait pas à redire. C'est cela, c'était inévitable, j'allais obéir à cet inconnu avec lequel je n'avais pas échangé un mot. Il restait là, à attendre sans bouger, les yeux brillants, continuant à cracher son ordre brutal. « Viens! » Il m'attirait. « J'ai envie de coucher avec lui », me suis-je dit avec stupéfaction. Bien entendu, je regarde tout cela d'un autre œil aujourd'hui. Ce n'est pas mon désir subit, mais qu'avec ton aide je sois restée si longtemps « en innocence » qui me stupéfie. Plaqué contre moi, l'homme inconnu fit glisser sa main dans l'échancrure de ma robe, je sentais ses doigts glisser sur ma colonne vertébrale. « Une belle échine », dit-il, un mot de ce genre, comme si encore une fois il parlait d'un animal, un animal qui continuait à se laisser faire sans répondre.

A ce moment-là je t'ai vu. Etais-tu là depuis le début, caché dans l'embrasure de la porte? Te retenant d'aller vite, tu t'es approché, tes yeux comme un poignard plantés sur moi, tu as pris l'homme carré par l'épaule et tu l'as arraché de mon corps sans mot dire. Il t'a dévisagé, ahuri, et il a tourné le dos, évitant de me regarder.

– Partons!

Tu m'as poussée devant toi. Je me suis retournée vers les lieux de la scène comme pour un adieu. Par la fenêtre, les mille feux de l'Empire State Building crépitaient jusqu'à nous. La pièce semblait un navire qui s'élance dans le vide. Un navire sur le point d'être englouti dans le néant avec tous ses passagers titubants.

Nous sommes sortis, après avoir déambulé en silence dans des couloirs peints en noir qui n'étaient pas là à notre arrivée, je l'aurais juré, et nous avons enfin trouvé nos manteaux. En bas, un portier assoupi a hélé un taxi sans presque se réveiller.

Tombés sur notre lit d'hôtel, deux gisants parallèles, nous n'avons pas échangé une parole. Le lendemain, tu avais une conférence le matin. Avec ta discipline coutumière, tu étais prêt à l'heure. Je nous vois encore, toi soufflant un peu fort devant la glace, tâchant d'aplatir tes boucles avec la brosse d'ivoire, cette brosse dont se sert Jonas maintenant, et il prend soin peut-être de te ressembler dans ton geste. Je te revois, toi et ta brosse, mon jeune homme perdu, comme tant de matins où il ne s'était rien passé la veille. Et moi aussi, feignant de dormir, car je ne voulais pas te parler. Il était impossible de te raconter, si tu ne l'avais pas vu, que l'homme carré m'avait embrassée puis avait tenté de déchirer ma robe pour trouver mes seins et que, son haleine mâle où se conjuguaient le tabac au miel et le whisky trop fort toute mêlée à la mienne, j'avais eu soudain envie de me coucher par terre avec lui et de le laisser me faire l'amour qu'il voulait, n'importe quel amour pourvu que celui-ci soit différent du tien et me libère de cette autre sorte de virginité que conservent, loin dans le temps, les femmes d'un seul homme. Je n'étais pas capable de t'avouer que j'avais découvert en moi un désir qui m'inquiétait. De même, je n'avais pas la force de te demander comment tu les avais employées, les heures, toi, dans le grand appartement fantôme, avec cette femme claire sous la main (la connaissais-tu, oui ou non, celle-là?), avec n'importe quelle autre de ces femmes-folles, de ces femmes-fleur et sexe aux yeux mangeurs. Il fallait déchirer la pellicule, garder seulement de cette soirée l'image de l'enfant fardée avec ses yeux d'innocence pervertie sous le bariolage et, qui sait? se demander en fin de parcours si nous ne nous étions pas trompés l'un et l'autre, ce soir-là, en ne nous trompant pas.

Je suis allée voir un musée pendant que tu travaillais, puis encore d'autres musées. J'ai fait des courses pour Paris et tout le temps je me sentais comme à côté de moi-même. Comme chaque soir nous avions un dîner, nous avons continué à tenir notre tacite parole de silence. Car tu pensais comme moi, n'est-ce pas? Tu ne voulais pas non plus comprendre ni dire? Il fallait nous oublier tels que nous nous étions aperçus ce soir-là. En nous couchant, nous avons fait, nous avons fabriqué un amour différent, un amour un peu triste, comme si pour la première fois de notre vie commune nous couchions toi et moi avec quelqu'un d'autre.

Quand je suis revenue à Paris un peu plus tard, Victor-Véra m'attendaient à l'aéroport. Véra avait apporté un petit bouquet bleu, blanc, rouge pour m'accueillir.

— Tu as vieilli, ma petite marmite, m'a-t-elle dit en m'embrassant. (Véra me donnait toujours des noms saugrenus.) Tu fais plus... tu fais plus... Qu'en penses-tu, Victor?

Victor se refusait, par principe, à répondre à ce genre de question.

— Tu fais plus femme! a enfin décrété Véra, triomphante, comme si elle venait de prononcer une phrase historique. Et cela te va bien. Mais tu n'es pas triste, au moins?

Lucide Véra! Oui, l'Amérique avait vraiment changé quelque chose.

J'ai eu raison d'aller de bonne heure au marché. Il faut bien avoir de quoi nourrir ce Pierre que l'on m'annonce pour ce soir. Il va pleuvoir maintenant. La mer est sombre et houleuse, elle bave son écume sur les rochers qui ponctuent la baie de leurs taches grises. Tout contre le ruban blanc des plages, le vert des champs, ce vert plus vert qu'ailleurs, est comme un écho strident à l'émeraude opaque de l'eau. C'est beau et je chante. Enfin, je marmonne une mélodie. Encore ce début du *Troisième Concerto brandebourgeois* : « Tatada... tatada... tatada... Tatada... Dâd! daâ!... dâdaââ!... » J'aimerais dessiner la musique. Le fastueux équilibre de Bach peut très bien s'exprimer par un trait. Mais pourquoi toujours ce même mouvement-là, inévitable et obsédant, me revient-il en tête lorsque je ne pense à rien, lorsque je suis inquiète? Au point que j'ai écrit un jour dans ce que j'appelle trompeusement mon testament, des dernières volontés griffonnées sur une feuille volante, que je désirerais mourir en entendant cela. Et je me chante aussi ce passage, Thomas, quand je pense à toi. Et comment ne pas penser à toi sur cette petite route de bord de côte? Ce que nous allions vite sur la petite route! Ta grosse voiture tanguait comme un œuf roulant sur les gravillons. Tu aimais frôler ma peur, la sentir naître comme un désir à l'envers. Tu trouvais plaisir à traquer l'animal anxieux en moi. Au fond, tu as toujours préféré mes réactions à mes pensées.

Bon, j'arrive à l'endroit où j'ai toujours envie de freiner pour me préparer au meilleur. On vient de quitter la mer, on s'ennuyait déjà d'elle et juste là, à ce point précis, on sait qu'on va la retrouver comme un miracle de l'autre côté de l'épingle à cheveux. Mais elle est pliée si serré, cette épingle à cheveux, que je ne m'arrête jamais avant de l'avoir dépassée. Je conduis mal. Me l'as-tu assez dit que je conduisais mal, que je n'y arriverais jamais si je ne m'appliquais pas plus. Tu avais raison. Cependant, du temps où tu me donnais des leçons, croyais-tu vraiment m'aider en m'affirmant cela, ou bien trouvais-tu satisfaction dans l'idée d'une femme qui ne savait pas changer les vitesses, une femme à jamais assise à côté de toi? Trop tard, je le sais, pour poser cette question. Mais, quand je suis au volant, j'y pense.

J'ai trouvé une lettre de Solange dans ma boîte à la poste. Elle espérait pouvoir se libérer huit jours pour venir ici, comme elle l'a fait si souvent quand nous étions enfants et comme elle a réussi à le faire une fois après que je t'eus quitté. Tu n'avais pas changé d'avis au sujet de Solange. Elle t'ennuyait. Tu n'aimais que mes amies très jolies, celles dans le vent qui raillent et qui provoquent. Solange a toujours été trop douce.

– Qu'elle vienne quand je ne suis pas là! disais-tu.

Mais, en ce temps-là, Thom, tu le sais bien, quand tu n'étais pas là, je n'y étais pas non plus à Glenmara. Je suis triste que mon amie ne passe pas quelques jours ici. J'aurais aimé m'occuper d'elle mais son « petit dernier », comme elle n'a cessé depuis des années de les appeler les uns après les autres, prépare un examen. Chaque fois, depuis vingt-cinq ans, qu'un de ces petits-là devenait un peu plus grand, Xavier offrait d'un cœur léger le cadeau béni de ses spermatozoïdes à sa femme et le nouveau nœud de varices qui à cette occasion se lierait sur les jambes de celle-ci. Ce n'est pas drôle, on est la presque sœur à quinze ans d'une jeune fille farceuse qui rêve d'être la Pavlova, un homme passe et on se transforme quelques années plus tard en la meilleure amie d'une dame qui s'est rangée en même temps que ses chaussons ou, dans les cas les plus heureux, qui enfilera ceux-là sur les pieds d'une de ses filles pour devenir un jour la « sylphide » par personne interposée.

Solange ne viendra encore pas à Glenmara, cette année, « faire la fermeture » comme elle disait, et Véra et Victor n'y viendront plus jamais. C'étaient leurs lettres que je lisais en premier, autrefois, appuyée contre le mur de la poste. Elles me faisaient toujours un peu peur, à la fin, les lettres de Victor et Véra. J'espérais qu'ils allaient « pareil », qu'ils étaient les mêmes, qu'il ne s'était pas passé quelque chose qui les aurait fait basculer à un autre palier. On tombe si vite à l'étage au-dessous de la vie quand on est vieux. Ils envoyaient toujours des messages à deux voix, mes parents, et leurs messages insouciants et joyeux prenaient, à mesure qu'ils avançaient dans le temps, le ton du reproche voilé. « Depuis six jours sans nouvelles », disait Victor. « Le père et la mère Goriot sont bien abandonnés », reprenait Véra. Cela a toujours été un de ses thèmes favoris, les Goriot. Véra avait ressuscité Madame, dans mon enfance, pour les besoins de sa cause. Quand je rentrais en retard, quand je n'écrivais pas assez régulièrement de mon lieu de vacances, si mes parents découvraient que j'avais menti, Véra ressortait le couple balzacien du magasin des accessoires où elle tenait en réserve les armes et les stratagèmes de tous ses combats : avec le percepteur, la mère de Victor ou sa sœur favorite et honnie avec laquelle elle a continué jusqu'au bout à entretenir au téléphone, sans jamais la voir, des conversations quotidiennes. C'était leur « Journal parlé », comme elles disaient. T'aurais-je aimé moins absolument, jeune homme, si en plus de Solange j'avais eu une vraie sœur, moi aussi? Aurais-je moins attendu de toi, t'aurais-je comme je l'ai fait tout abandonné de moi-même si l'autre enfant qu'avaient fabriquée Victor et Véra n'était pas morte avant que je la connaisse? M'en suis-je inventé des sœurs autrefois. Des que je protégeais, des que je battais, des faibles, des puissantes et même des excentriques comme celle de Véra, celle qui ne sortait jamais de chez elle. L'as-tu même vue à notre mariage, Thom? Je ne me souviens pas, je n'ai vu que nous à notre mariage. Le seul cordon qui reliait la sœur de maman au monde extérieur demeurait celui de cet appareil dont elle se servait en particulier la nuit. Véra qui n'arrivait pas non plus à faire de la moitié ombre de la journée l'usage habituel et qui refusait de s'assoupir avant l'aube, luttant, brave petite chèvre, contre le désir de sommeil, passait ainsi un grand morceau de chaque soir dans une conversation sans limite de temps. Parfois l'une des deux disait à l'autre : « Attends! » Elle se levait pour aller chercher un verre d'eau ou un bout de chocolat à croquer, abandonnant le récepteur sur l'oreiller, et puis revenait, et tout recommençait. Du plus loin qu'il m'en souvienne Victor dans sa chambre-bibliothèque et moi dans la mienne avons eu les oreilles transpercées par les stridentes sonneries nocturnes, car ces sœurs-là, comme des petites filles et je les enviais, n'ont cessé de se raccrocher au nez, de se reprendre, de se déprendre... Cela exaspérait Victor parfois. Mes parents ont été l'exemple type du veilleur de nuit et de la femme de journée, mais dans leur cas les rôles étaient inversés, c'était Victor l'homme du petit jour : il se levait d'habitude à l'aube. C'était l'heure où il corrigeait les devoirs de ses élèves, mais aussi l'heure où il se faisait plaisir, où il ouvrait ses livres favoris sur la préhistoire ou l'archéologie. Il avait sa vie toute à lui dans l'appartement silencieux, enfin endormi. Souvent, pendant la période des examens, je m'extirpais du lit plus tôt que d'habitude et je croisais dans le couloir l'ombre de mon père, dans sa robe de chambre comme une robe de moine. Il ne me voyait même pas et évitait de me répondre si je lui parlais quand nous nous rencontrions dans la cuisine pour chauffer nos bols de café. Moi qui dans l'enfance ai toujours vénéré le temps que je passais avec mon père, car celui-ci était rare – c'était Véra mon pain quotidien, ma mère, ma sœur, ma fille en une seule âme –, moi qui ai sans cesse espéré qu'il me regarderait comme un individu à part entière, je regrettais que même à l'aube, quand « la Reine », comme Victor appelait sa femme, n'était pas là, il ne s'attardât pas un instant à me poser une question me concernant dans mon intimité. Il ne se préoccupait que de mes études : « Comment? Vous en êtes encore au *De viris illustribus Romae*? Vous auriez déjà dû commencer les *Catilinaires*. » Ou : « Quoi? On vous a donné cette grammaire anglaise-là? » Etant prof d'anglais en hypokhâgne, c'était sa façon de se sentir paternel, à Victor, de n'être jamais satisfait de ses collègues qui enseignaient à sa fille une langue qu'il considérait comme sienne. Il avait publié vers mes quinze ans un *Précis pour débutants*, il n'était pas friand des ouvrages des autres. Cela se comprend, non? Mais tu n'as jamais été intéressé par mon père. Tu n'as jamais été intéressé par les pères en général, jusqu'à toi-même en cet office. Le fait de n'avoir pas vécu longtemps avec le tien, peut-être, qui était mort quand tu étais si petit? L'image en était floue, le personnage prouvé inutile puisque tu avais été un enfant heureux malgré l'absence de celui-ci.

Tu avais été un enfant aimé et heureux, mais tu n'aimais pas beaucoup ton enfance. Tu n'en parlais pas. Et je ne suis jamais parvenue à te raconter la mienne. C'est pour cela que je m'y hasarde aujourd'hui. Le passé t'a toujours ennuyé, Thomas, tu avais envie de le jeter comme un costume étriqué qui ne vous va plus. Tu as sans cesse appartenu à l'instant. C'est probablement une chance d'être ainsi. Lorsqu'on aime le passé, on s'y englue, il vous tient lieu de présent. Regarde-moi donc en train de m'enfoncer. Et déjà à la mort de Victor-Véra...

C'est ennuyeux, si j'aime un autre homme, et ne va pas imaginer tout de même que c'est toi et notre passé qui m'en empêcheraient, si j'aime un homme demain, il faudra que je lui raconte mes parents. Pas ceux de la dernière heure, non, ceux des beaux jours, les Victor-Véra que tu as connus, les vrais, les entiers. Véra était beaucoup plus âgée que je ne le suis aujourd'hui quand nous nous sommes connus, toi et moi, mes parents avaient eu des enfants tellement tard, mais cependant elle était encore si belle et dans toute sa vigueur agissante. Tu ne l'as pas vue changer, toi, tu t'étais détaché d'eux après notre séparation, comme s'ils y avaient été pour quelque chose. C'était moi, c'était nous, tu sais, nous tout seuls. Tu n'es jamais allé les voir après qu'ils eurent vendu leur appartement dans cette petite impasse vieillotte de Montparnasse où j'ai passé mon enfance, entre l'atelier de sculpture de Véra et la bibliothèque de Victor, et qu'ils eurent acheté ce que Victor appelait une « concession à perpétuité » et Véra une « condamnation à vie » dans un de ces vivoirs organisés pour les intellectuels et les artistes du dernier âge – j'aime encore mieux cette expression morbide que l'autre – à Marnes-la-Coquette.

La dernière fois que j'ai été déjeuner là avec eux, Victor allait mourir très bientôt. Il y avait peu de temps que je t'avais quitté. Mes parents espéraient encore que j'allais revenir à de meilleurs sentiments, c'est-à-dire au foyer conjugal. Ils n'étaient pas conventionnels pour les autres, mais moi j'avais un service spécial.

C'est étrange, quelquefois, on sait que c'est la dernière fois. J'ai vécu ce déjeuner-là comme on enregistre un disque en se disant qu'on est tranquille : au moins tout cela va être gravé dans la cire, et j'avais besoin de cette rassurance. Je sentais que mon temps avec mes parents, que mon temps de fille s'amenuisait. Depuis qu'ils étaient à Marnes, je m'occupais beaucoup d'eux. Je me penchais sur leurs désirs. Ce jour-là, j'avais envie comme de retourner en enfance et qu'ils s'occupent de moi, j'avais envie de leur parler de nous, d'expliquer, de justifier, comme Victor me le faisait faire quand j'étais petite, le pourquoi de mon geste. Et même, si l'on m'y offrait asile, j'avais envie de pleurer un petit coup sur l'épaule de l'un ou de l'autre. Mais il y a un moment où les dés sont pipés, on devient le parent de ses parents et la situation est irréversible. Ce jour-là, Véra et Victor faisaient des projets de départ pour Glenmara, et je m'inquiétais d'avance des problèmes qui en découleraient.

– C'est ça, dis que tu n'as pas envie que le père et la mère Goriot viennent cette année, clamait Véra, chaque fois un peu ragaillardie par un de ses vieux thèmes.

– Mais non, maman, je cherche seulement la solution la moins fatigante de voyager pour vous deux. Si seulement tu acceptais de prendre l'avion.

– Tu sais bien que ton père est guéri dès qu'il arrive à Glenmara, répondait Véra, qui avait toujours eu l'art de passer à la question d'à côté quand celle à laquelle elle faisait face l'embarrassait.

Et elle avait raison, Véra, l'Irlande faisait renaître mon père. Mais, cette année-là, il est mort avant d'y aller.

– Et moi aussi d'ailleurs, continuait Véra, têtue comme quand elle refusait l'évidence. Moi aussi j'ai besoin de me retaper.

C'est vrai, elle avait changé. J'en ai eu conscience dès mon arrivée. Aux aguets de l'imprévu comme les gens sans avenir, maman avait entendu mes pas dans l'escalier et se tenait sur le devant de la porte, le visage enduit de crème. Elle était en peignoir, ce vêtement de vieux. Avec son col qui bâillait, elle avait l'air d'un pigeon juste sorti de sa coquille, encore mouillé. Je me souviens, j'ai eu une envie terrible de lui murmurer : « Ce que je t'aime ! Dépêchons-nous de nous faire savoir bien sérieusement nos sentiments, d'en profiter, tu as l'air si vieux ce matin, ma chérie. » Mais Véra, son éternel pansement gras sur le masque de cette vieillesse refusée, avait relevé la tête, en seigneur sûr de sa victoire, et je l'avais embrassée sans rien dire.

Véra, c'était au maquillage qu'elle demandait protection. Encore une fois, j'ai assisté au fascinant rituel de sa transformation d'une vieille aux joues creuses et aux cheveux roulottés autour de sa tête en macaronis gris, en une conquérante altière, prête à gagner une ultime bataille. Du fond de mon enfance, j'ai toujours été stupéfiée par ce pouvoir suprême de ma mère de se redresser, de sortir son cou de ses épaules, d'allumer son œil clair qui paraissait morne quelques instants auparavant et, plâtrée, poudrée, parfumée, d'aller mener le combat de la vie, toutes les armes de son esprit bien fourbies dans son carcan.

Est-ce pour cela que je ne me maquille pour ainsi dire jamais? Ta mère ne se maquillait pas non plus. A peine avait-elle un peu de rose sur les lèvres. Est-ce pour cela que tu me demandais, le soir, quand nous avions ces provocantes séances amoureuses, que tu me demandais de cirer mes cils, de dessiner mes lèvres plus rouges, toujours plus rouges, et de m'habiller seulement de mes talons hauts? Je le faisais pour l'amour de toi mais, tu sais, j'ai eu souvent envie d'être désirée sans artifices, désirée en pantoufles. J'étais lasse avant l'heure de l'appareil de la séduction et j'ai toujours su que ce lointain refus en moi avait pris naissance, quand j'étais petite, aux abords de la coiffeuse de ma mère.

Mais Véra, elle, n'a jamais été blasée de la cérémonie dont elle était à la fois l'officiant et le grand prêtre. Depuis tant d'années et sans faillir, elle commençait sa messe privée, la même expression errant sur ses traits. Dans l'enfance, je me sauvais parfois à ce moment-là, comme gênée de partager un secret. Ce jour-là, à Marnes, c'était un souvenir que je partageais en regardant les mêmes crayons mal taillés comme une armée fourbue de vieux compagnons parmi lesquels, d'un geste impératif, Véra choisissait celui qui saurait ombrer sa paupière ou allonger ses yeux. Sans se presser, elle allait ensuite colorer sa pommette avec, aussi, toujours la même boîte : « Rose Bourjois pour les joues », dont la bosse ronde de poudre agglomérée s'était à peine creusée, avec les années, sous son index furtif : pftt... pftt... pftt... de chaque côté.

Véra était comme Louis XIV qui allait sur le trône devant ses courtisans, elle aimait être observée pendant qu'elle se faisait subir la savante métamorphose. Ce jour-là, ce jour-là qui ne serait pas suivi par d'autres, elle avait presque fini de jouer sa scène quand le pas lourd de Victor s'est fait entendre dans le couloir. Le pas d'un autre. Victor s'était toujours enorgueilli de monter les escaliers quatre à quatre, mais l'implacable, sans prévenir, était soudain tombé sur lui, il marchait comme un vieillard. Il marchait comme ce qu'il était, le pauvre chou.

– Dépêche-toi, mon petit, nous allons être en retard pour le déjeuner, dit-il après m'avoir embrassée, éloignant sa cravate de son cou dans un geste familier.

Victor arborait encore une fois un de ces cols rafistolés par Véra, que lui-même appelait « ses cols pan de chemise », découpés dans la fesse du vêtement, rayés dans l'autre sens et à angles mous. Des « tenues d'artiste », assurait Véra pour mettre fin à toute idée de controverse. « Tu n'es pas un bourgeois, ne l'oublie pas, Victor. »

Victor aussi jouait sa scène finale. Il n'y a que moi qui ne possédais pas mon rôle, car j'avais changé de personnage derrière le décor. Lorsque nous sommes descendus à la salle à manger, aucun de nous n'a dit un mot au sujet de notre séparation, Thom. Il m'a semblé que Victor était sur le point de le faire, il éclaircissait sa voix et tapotait deux doigts sur l'épaule de Véra pour se donner des forces, mais à ce moment-là la grosse femme peintre gonflée de ses songes s'est approchée de nous. Tu sais, celle qui connaît Victor-Véra depuis la jeunesse et qui a toujours fait la cour à mon père, en vain. Enfin je crois, mais on ne sait pas tout sur ses pères. Quoi qu'il en soit, cela avait toujours irrité Véra et cela persistait. Jusqu'au bout de la vie les êtres continuent-ils à être agités par les mêmes petits séismes, à souffrir et à faire souffrir semblablement? Quel vieillard aurais-tu été, Thom? La grosse femme peintre t'avait vu une ou deux fois du temps où Victor-Véra avaient toujours des amis le dimanche après-midi, elle te trouvait beau, elle te faisait un peu la cour à toi aussi. Elle aimait les hommes. Il n'y a pas de mal à ça. C'est pour cette raison peut-être qu'elle avait gardé jusqu'au bout le style de vêtements qui était sien quand elle les séduisait. Les cheveux coupés à la garçonne, une écharpe à pois épanouie sur ses seins, elle s'est adressée à Victor sans regarder Véra qui avait détourné la tête et pincé les lèvres.

– Vous avez vu le bol de cerises que je fais en ce moment? Passez à l'atelier quand vous aurez le temps, il est presque fini.

Il était si clair que pour elle, en cet instant précis, l'existence se réduisait et s'illimitait à un bol de cerises. J'ai été émue. Puisque toute vie est une sorte d'échec, mieux vaut la rater de cette façon-là, être une vieille artiste qui n'a pas tout à fait attrapé le talent mais l'a poursuivi bravement sa vie durant, qu'une « Madame » assise sur son quant-à-elle, comme si elle était sur la bonne chaise, et qui ne sait pas, qui ne sait pas ce que c'est que les souffrances de la création, les souffrances-joies.

Pourvu que j'aie mon bol de cerises, moi aussi, pour m'obstruer l'horizon, le moment venu! Cela aurait été quoi le tien, Thomas? Le jardinage peut-être, ou le jeu? Tu aurais pu être un joueur à la Dostoïevski. Mon pauvre Thom, tu n'as pas eu le temps d'avoir de violon d'Ingres. J'ai honte parfois que tu sois mort. J'ai toujours l'impression que l'on peut faire quelque chose contre tout. On aurait dû t'empêcher d'avoir un cancer. Tu n'aurais pas dû te laisser faire, toi non plus. Ce que c'est bête, l'irrémédiable.

A la fin du repas, nous sommes remontés à l'appartement. Véra n'aimait pas le « jus de chaussette » des autres. Elle a toujours fait son café elle-même. « Comme on fait son café on le boit. » C'était un de ses proverbes. Et nous avons enfin parlé.

— Alors, après vingt ans de loyaux services, tu es partie sans rien emporter, même pas tes gages, les mains dans les poches, a dit Véra. Le Thomas, puisqu'il dit t'aimer tellement, aurait pu faire un geste, tout de même.

Véra, les derniers temps, t'appelait toujours comme cela : « le Thomas. » Je n'ai jamais pu découvrir s'il y avait là une intention de te moquer, de te nuire. Elle t'avait beaucoup aimé, pourtant, au début, mais il est impossible, l'âge venant, qu'elle ait pu ignorer ta lente désaffection, ta répulsion devant leur vieillesse, ton croissant désintérêt à leur égard.

— Il ne m'a pas pardonné mon départ, ai-je dit. Vous aussi, vous ne faites que me le reprocher. Vous devriez comprendre son attitude.

— Je ne comprends pas que l'on quitte, a dit Victor, d'une pauvre voix éteinte. (C'est étrange comme les voix s'en vont avant leur maître.) Tu avais signé.

— Mon nom sur un registre de mairie, et cela supposait un engagement d'une vie?

Quelle folie, pensais-je en moi-même, car, tu vois, je n'étais plus qui j'avais été, Thom, je n'avais plus de respect pour l'absolu. Je n'avais aucune honte de t'avoir quitté; au contraire, je me trouvais dans le vrai. Maintenant peut-être, oui, maintenant que les jeux sont faits et que c'est toi qui as quitté le théâtre à jamais, il n'y a plus pour moi de vrai ou de faux, il ne reste que ce sentiment amour à la fois merveilleux et révoltant et sur lequel je me retiens de porter un jugement.

– Sans rien emporter, répétait Véra. As-tu au moins de quoi manger?

Ma mère avait toujours gagné plus d'argent que mon père. Un salaire de prof d'anglais, même au niveau supérieur, c'est un salaire de prof d'anglais, ce n'est pas Byzance, mais Véra, toute libérée avant la lettre fût-elle, continuait à considérer que l'argent que Victor rapportait à la maison, c'était de l'argent sérieux, sur lequel on pouvait compter, un argent dur qui ressemblait à de l'or. Ce qu'elle gagnait, elle, ça restait du papier et elle était toute prête à transformer aussi mes gains en roupie de sansonnet. Je me souviens, j'ai eu une phrase lénifiante du genre : « Mais ne t'inquiète pas, maman, je gagne bien ma vie », et puis, d'un coup, je n'ai plus pu supporter que l'on discute cette vie. Véra, naturellement, aurait bien aimé continuer à me titiller, à poursuivre mes erreurs d'un scalpel que l'âge n'avait pas encore émoussé, mais cela arrangeait Victor qui avait, toute son existence, tenté de fuir la réalité matérielle. Surtout qu'on ne lui parle pas de problèmes d'argent, par pitié!

Avant de les quitter, encore une fois je me suis rendue gaie. Ce n'est pas si difficile, on s'habitue à fabriquer sa joie et on finit par tromper tout le monde, y compris soi-même. Moi, en descendant l'escalier, « A la semaine prochaine, mes chéris », envoyant un baiser aux deux pauvres moineaux qui faisaient des petits signes par la porte avant de la fermer, je m'étais arrangée pour redevenir légère.

Dans le hall, la grosse femme peintre qui aimait

Victor était assise devant la porte de l'atelier, tout abandonnée, avec cet impérial air d'attente sans impatience qu'ont les vieillards lorsque le temps n'est plus à eux mais qu'ils ont cependant le loisir de le perdre. Je me suis approchée pour la saluer.

– Quelqu'un a égaré les clés de l'atelier, m'a-t-elle dit avec une mimique comique qu'elle devait déjà faire dans son adolescence et qui accusait maintenant les deux rides creuses en parenthèses de chaque côté de sa bouche. Mais il faut que je finisse mon tableau, les cerises s'abîment de ce temps-là.

Et la vie?

Elle était assise les jambes écartées. On apercevait sa culotte et les commissures de ses cuisses. Elle avait une peau claire et dodue. Les vieilles ont souvent des cuisses encore fraîches. Pourquoi étais-je choquée qu'elle ne ferme pas ses jambes? Comme si on ne pouvait pas avoir de la chair et la montrer sous prétexte que l'on était vieux? Dans ce sens, tu étais bien, pas banal pour un homme, tu pouvais trouver du charme, du « chien » comme disait Véra, aux femmes à toutes les époques de leur destin. Non, tu ne te posais pas en raciste de l'âge. D'ailleurs, à part moi et ta maîtresse d'après, toutes tes femmes, y compris la première, ont été plus âgées que toi, que toi qui n'as plus d'âge, mon vieux chéri au passé...

J'ai quitté la grosse femme peintre, ignorant que je ne la reverrais qu'à l'enterrement de mon père, et sais-tu à quoi je pensais en me dirigeant vers ma voiture? À mes pauvres petits parents fragiles? À toi « qui m'aimais tellement » et que je faisais souffrir? Point du tout. (Heureusement que je parle à un sourd qui ne me répondra pas, sans cela tu te débrouillerais pour me faire croire que je suis intéressée et je sais que je ne le suis pas.) Je pensais exclusivement aux quatre chandeliers d'église, hauts comme des arbres, en argent massif, qui ont été sur notre table vingt ans durant, comme s'ils allaient être à moi pour toujours, et que je n'avais pas « emportés » – pour parler comme Véra – en partant. D'ailleurs, j'insiste, ils auraient dû être à moi pour toujours. Christine me les avait donnés à Noël, la première année de notre mariage. Victor allait avoir une attaque et mourir, nous ne serions plus jamais tous les trois ensemble, debout, entiers, à ratiociner sur les choses de la vie autour d'une tasse de café tiède, comme si nous avions tout le temps du monde devant nous. Diminuée, perdue sans son compagnon, Véra allait vivre encore un peu, venir habiter chez moi, repartir chez elle, être partout une petite souris furtive et muette, ne plus se ressembler du tout et s'éteindre, c'est bien le mot, peu de temps après, sans faire de bruit. J'allais avoir à devenir grande et seule tout d'un coup et à quoi pensais-je? A mes quatre chandeliers.

Minable et inconsciente conne! Et ce qu'il y a de pire, c'est que je n'en ai pas fini avec eux. J'ai encore à dire à leur sujet. Le pire, c'est que j'ai continué à les désirer, ces foutus animaux d'argent, et je n'ai même pas osé le dire à Valentine.

En tout cas, je n'en veux pas.

Mais pourquoi alors me suis-je mise à penser à eux ce jour-là et pourquoi cela continue-t-il?

En tout cas, ils tiendraient trop de place sur ma petite table à Paris. Je me le répète : je m'en moque, d'eux. D'ailleurs, je ne les regarderai pas la prochaine fois que je les verrai chez ma fille...

Tiens? Nous sommes déjà devant la grille de la maison. Comme elle est rouillée! Il va falloir que nous la repeignions avec Valentine, avant de partir.

J'ai fait la route sans presque la voir. Ah non! il ne faut pas que ta pensée et quatre chandeliers d'argent m'empêchent de regarder la route qui mène à Glenmara.

– Si Pierre n'arrive pas bientôt, je le pile.
– Il aurait pu téléphoner.
– Ce que ça m'agace, les gens insouciants.

Valentine s'est levée et marche de long en large.

– Tant pis, mettons-nous à table sans lui.

Elle se tourne vers moi. Comme son cou est long.

– Non, on attend encore un peu, tu veux bien, Mouche?

Quand elle m'appelle « Mouche », je ne résiste pas. Je ne sais même plus pourquoi elle a commencé à me donner ce surnom, mais, chaque fois, elle a à nouveau six ans. Et elle le prononce toujours de la même façon, la bouche en avant, sa bouche-pétale, toute frisée, en exploitant bien le « mooouh... » Bon, ça n'ennuie pas Mouche d'attendre encore un peu l'amant de sa fille. Oui, oui, elle veut bien. Elle est presque contente au fond qu'il se conduise avec désinvolture. Mais elle a le triomphe modeste.

– Baisse le feu sous tes patates, elles ont l'air parfaites comme elles sont, cela serait dommage qu'elles brûlent.

Valentine se traîne vers les pommes de terre et les secoue rudement, comme si elles y étaient pour quelque chose dans le retard de Pierre. Elle te ressemble dans les petits détails. A la façon de son père, elle a du quant-à-soi. Elle objecte à être traitée sans égards. Moi, je me dirais : « Il a eu un accident, il est dans un ravin. Que faire? Où téléphoner? » Pour Valentine, Pierre est coupable de n'être pas là, voilà. Les raisons de ce retard, ce n'est pas son affaire. J'aurais aimé savoir réagir de cette façon. On gagne du temps quand on ne fait pas de sentiment.

Valentine revient vers la table, elle s'appuie des deux mains sur le bois clair et écoute un chien qui aboie tristement.

– C'est Fox, dit-elle. Ils l'ont encore attaché trop serré. Tu devrais le dire à O'Leary.

Je la regarde et, tout à coup, c'est toi que je vois, avec le vieux pantalon que tu portais toujours ici, qu'elle a déniché au fond de l'armoire et refabricoté à sa taille, cette année, comme pour habiter un peu ta peau. Oui, jeune homme, c'est toi avec tes cheveux qui se mettaient à friser plus fort à l'humidité. Elle me trouble. J'ai envie de fermer les yeux. On devrait interdire aux gens de ressembler comme ça à un mort. Laisser passer un peu de temps au moins... Ça y est, merci, c'est fini, elle est redevenue elle.

– On met un disque et ensuite, Pierre ou pas Pierre, on bouffe? D'accord?

Valentine s'est levée.

– Mets-nous le *Deuxième Concerto* de Haendel.

Dominant le lent crescendo, un bruit de voiture dans le lointain. On entend le klaxon insister sur le dernier virage de la côte.

– C'est lui, dit-elle.

Il y a un déchirement dans sa voix. Cela m'étonnerait qu'elle ne l'aime pas du tout, on n'a pas la voix déchirable comme ça pour des prunes, ni même pour un sexe. Machinalement j'arrange mes cheveux. Il y a au moins huit jours que je vis sans penser à ma tête. C'était agréable, ce répit. Mais un homme c'est un homme et un amant de famille, c'est... La musique est trop belle. Elle interrompt ma pensée. Tant mieux.

Ma fille s'assied, très Madame soudain, les jambes serrées, et laisse tomber rêveusement :

– On n'en demande pas autant à un ami qu'à un mari, je ne l'engueulerai pas une miette, cela sera sa punition.

Elle dit souvent des choses à l'envers, Valentine.

Le véhicule ralentit et grince des pneus sur les cailloux du petit chemin. La voix de Deller, qui me frissonne chaque fois le corps, continue, lancinante, à monter plus haut, trop haut. Je n'ai pas envie que Pierre arrive et interrompe ce miracle.

Valentine n'y tient plus, elle sort. Je les entends marmonner dans l'ombre. A son ton, j'ai l'impression qu'elle l'engueule quand même un peu.

Ils ouvrent la porte. Ma fille tient le Pierre par la main. Elle a l'air contente. Entrez donc si ma fille est contente.

Je l'avais aperçu une fois sous la voûte quand je sortais d'un déjeuner chez Valentine. C'était au début de sa séparation d'avec Simon. Elle m'avait dit : « Va-t'en vite, je ne veux pas que tu le voies. » Il m'avait semblé brun. Non, il est blond, assez fadasse même. J'ai envie de lui dire : « Alors comme ça, il paraît, d'après ma fille, que vous faites très bien l'amour, mon garçon ? »

Le garçon en question n'a pas l'air gêné du tout de nous avoir fait attendre. Valentine coupe la voix sublime au milieu de mon émerveillement et interrompt le disque. Pierre regarde autour de lui et s'exclame :

– Comme c'est bien ici! Valentine m'avait prévenu.

Un bon point si le charme de Glenmara opère sur lui si vite. Je me lève pour lui tendre la main et je souris – sourire de mère apaisant et généreux, mais quand même légèrement sur la défensive, le genre de sourire qui avertit : « Ne faites pas comme chez vous. »

Il pose son sac par terre.

– Ça sent bon, dit-il. Ce qu'il fait faim!

Tiens? Il a une jolie voix grave. Mais il a l'air du genre simple. Pourtant, Valentine m'a dit qu'il était artiste. N'empêche, il est trop nature. Je n'aime pas tellement les gens passés à l'eau comme ça. Qu'est-ce qu'elle lui trouve?

Le dîner est délicieux et Valentine est électrique. Elle parle presque tout le temps. Toujours intéressant de voir sa fille devant ce qui s'appelle l'amour, n'importe quel genre d'amour.

Y a pas à dire, ça vous change une femme, un homme. Cette idée toujours m'irrite. Pierre, amène et silencieux, continue à jouer la carte décontracte. Il se lève pour l'aider, exprimant de-ci de-là une petite opinion passe-partout, sans plus. Au moins, il n'est pas prétentieux. Je ne lui pose pas de questions. Pas envie.

Après le repas, ils rangent tout. J'entends Valentine lui montrer où sont les choses dans la cuisine. Inutile de se donner tant de mal, vous n'avez pas l'intention de rester cent ans ici, n'est-ce pas, amant de ma fille?

Comment réagirais-tu, Thom, si tu étais présent? Tu n'as jamais beaucoup aimé les hommes de Valentine. Sauf Simon peut-être. Tout simplement du fait qu'il appartenait à la confédération des maris.

Tiens? Maintenant ils mettent un disque de jazz. Et mon Deller?

Pierre esquisse un pas de danse, les bras en l'air. Il semble gracieux. Le disque est rayé au milieu et répète la même note aiguë. Pierre va arrêter le tourne-disque. Il se comporte vraiment comme chez lui. Il n'a pas reçu mon message? Valentine me regarde. J'ai l'impression qu'elle lit ma pensée.

– On va se coucher. Tu te rends compte de ce qu'il est tard? (Valentine bâille comme sur commande.) Je vais te montrer ta chambre, Pierre le Grand, dit-elle.

C'est vrai qu'il est grand. Mais, je le maintiens, fadasse. Il a une peau en caoutchouc, trop élastique, elle glisse sur les os de sa figure. Valentine lui met un bras autour du cou. Pierre lance un regard en biais vers moi avant de lui piquer la joue de sa lèvre. Il ne sait pas trop que penser de la mère.

La fille se penche et me donne un baiser.

– B'soir, Mouche!

Qu'elle est belle! Sa joue est douce, brugnon, satin, crème. Sans le faire exprès, je l'embrasse juste là où vient de l'embrasser Pierre. Vous avez de la chance de coucher avec ma fille, Pierre le Grand. Ils sont partis.

Etrange, toujours étrange de regarder en face, de soupeser, de humer l'amant de sa fille. Cela a été Simon longtemps, avant qu'elle ne l'épouse, l'amant de ma fille. Elle en a eu quelques autres après, pendant qu'ils jouaient l'un et l'autre leur valse hésitation, au moment où elle était revenue habiter chez toi. Tu ne voulais pas le savoir pour les amants. Et puis, tout à coup, tout à trac, sans raisons particulières, ils ont décidé de se marier,

Simon et elle. Qui sait? Peut-être seulement pour m'agacer? Puisque je disais sans cesse que la seule raison de s'épouser aujourd'hui, c'était de vouloir un enfant.

Mais toi, tu étais pour leur mariage, à ce moment-là. Cependant, avoue, tu as été déçu comme moi, quand ils ont fait « ça » à la sauvette, sans même nous inviter, nous les parents. Je n'avais pas envie qu'elle saute le pas mais, celui-ci franchi, j'aurais bien aimé marcher derrière eux à ton bras, dans une petite église à musique. Ou sans église du tout, j'aurais bien aimé être là. C'est tout. A ce moment-là, Valentine était beaucoup plus près de toi que de moi. D'abord tu étais la victime, celui qui a été quitté, l'innocent malheureux. (Tu ne trouves pas que tu as eu du toupet de jouer ce rôle auprès de notre fille? Nous n'étions innocents ni l'un ni l'autre et nous étions malheureux tous les deux.) En fait, elle ne m'aimait alors que le minimum, Valentine, juste ce qui était nécessaire pour que ne se fane pas un sentiment qui demeurait essentiel dans l'absolu. Quand vous avez vécu ensemble, elle a joué en quelque sorte le rôle de ta femme. Elle recevait avec toi, c'est elle qui faisait les bouquets et qui discutait de la composition des repas. Il doit y avoir une certaine sorte de plaisir à remplacer, c'est-à-dire dans une certaine mesure à évincer sa mère, à prendre sa place. Non, non, je ne me donne pas la part belle, je sais, je vous ai fait du mal à l'un et à l'autre en partant, mes chers chéris. Mais bien sûr que j'ai eu tort : depuis la nuit des temps, une femme ça reste, ça pleure ou ça grogne sur place et, si ça part, ça a tort. Pourtant, qu'est-ce que tu veux que je te dise, je n'ai pas honte, enfin pas très très honte. Je ne pouvais plus te supporter à l'époque, tu sais, Thom, et puis – allez, bon, je vais te le dire, avoue que c'est plus facile de te raconter cela mort que vif –, eh bien oui, je suis tombée amoureuse de quelqu'un d'autre. Je t'avais annoncé que je te quittais pour « vivre ma vie » (la grande phrase à la con qui n'a jamais voulu rien dire), pour ne pas me faire engueuler parce que mon « métier », comme tu disais en crachant des flammes de mépris, devenait de plus en plus prenant, parce qu'on s'entendait moins et qu'on le savait tous les deux : on s'entendait moins dans notre lit et autour de la table et avec les amis et sans les amis. Je t'ai dit que je te quittais parce que l'existence était courte. Eh ben non, jeune homme, je te quittais parce que tu n'étais plus mon jeune homme et que j'avais rencontré quelqu'un d'autre. AMOUREUSE, oui. Tu peux le supporter, ce mot-là, où tu es? Amoureuse, moi qui avais tellement cru que je n'aimerais que toi, à jamais... à jamais...

« Ils » sont à la pêche, Valentine et Pierre. Je suis comme une bonne quand les patrons sont partis. Je me laisse aller. Seule enfin! C'est bizarre d'avoir à nouveau un homme ici. Simon est venu plusieurs fois, c'est vrai, mais je ne sais pas pourquoi même quand j'étais contre leur mariage, Simon n'a jamais été pour moi un étranger. Il a tout de suite fait partie de nous. Cela ne me dérangeait pas d'être en bigoudis devant lui, d'avoir l'air fatiguée ou triste. J'étais moi, sans arrière-pensée. Pierre me gêne. C'est parce qu'il est indiscret tout naturellement. Il se promène dans notre petite maison avec une telle simplicité qu'on finit par se demander si c'est nous qui sommes chez lui. Quand il a besoin de téléphoner, il téléphone, en omettant de poser la petite question rituelle, au préalable. Le copain avec lequel il doit partir en Amérique, et qui... et que... – les conversations de Pierre durent une heure – n'est pas là? Pierre essayera à nouveau un peu plus tard, y a pas le feu. Il a faim? Il sait où est la réserve de pain, il s'en coupe une michée sans demander à la cantonade s'il en restera assez jusqu'à la prochaine fois où nous irons au village. Il range tout bien proprement derrière lui. Non, pas de miettes, mais pas d'usages non plus. Je fais bella figura, je tiendrai jusqu'au bout (à ce propos, il ne va pas rester jusqu'à la fermeture?) mais ça m'agace. Il est même possible que cela agace Valentine.

Et puis, ses mœurs! Quand il va se coucher, il fouille dans son grand sac mou qu'il traîne toujours partout avec lui et il en extirpe une bande dessinée. Il en a toute une collection rangée là, sa ration d'été comme le colis survie du soldat. Moi, je ne supporte pas la génération de la B.D. Cela ne me ferait vraiment pas bander de coucher avec un homme qui vient de s'esclaffer à Lucky Luke ou à Ranxerox.

– Tu n'y comprends rien, dit Valentine pour aider les affaires de son amant. La B.D. c'est aujourd'hui. C'est l'art d'aujourd'hui. Nous sommes dans l'ère du visuel. Le verbal va peu à peu perdre de l'importance.

Et il faudrait que je me réjouisse de cette prédiction glaçante? Et il faut que j'accueille sous mon toit (percé – O'Leary n'est toujours pas venu), il faut que je partage ma salle de bains avec un garçon qui prend part à cet holocauste?

A cause de ce corps étranger dans la maison – il y

a certaines maisons qui ne sont faites que pour les intimes –, je n'ai pas eu le cœur ni le temps de penser à toi, Thom. Peut-être ai-je été interrompue dans ma trajectoire parce que je m'étais trop tôt mise à penser à Jean et à mon désamour. Faut pas que je brouille tout. On en était encore à « Passion vivace » quand je suis rentrée d'Amérique. Mais oui, j'étais amoureuse de toi, avec en plus cette nuance nouvelle d'étonnement et d'inquiétude assez agréablement titillante. Etions-nous, après tout, une citadelle absolument imprenable? Y avait-il une faille dans l'armure de Thomas et d'Iris? Je chassais chaque fois une question que je voulais sans réponse, mais de me la poser me tenait en éveil.

Valentine aussi était un peu amoureuse de son père. Je me souviens, elle me demandait chaque matin si c'était demain, le jour de ton retour. Elle t'attendait avec un enthousiasme d'enfant gâtée qui sait qu'il y aura un cadeau pour elle dans la valise, mais aussi avec l'impatience de celui ou de celle qui a découvert lequel de ses parents était son semblable. Ton absence avait eu cet effet révélateur sur notre fille. Elle sentait que vous étiez de la même peau, de la même couleur intime, elle et toi. C'est toujours un moment rassurant que celui-là. Et puis, l'éloignement te rendait plus accessible. Quand tu étais là, oui, tu étais affectueux et gai avec elle mais, plus encore, sévère et exigeant et surtout las d'avance. Tu avais du mal à supporter les enfants, leur force vitale, leurs bruits, leurs cris. Et moi, au lieu de combattre cette tendance à l'irritation, je la ratifiais par le soin extrême que je mettais à te protéger.

— Calme-toi, disais-je à Valentine, tu as assez sauté. Papa va rentrer, il ne faut plus faire de bruit.

Mets tes chaussures d'appartement... Va dans ta chambre...

Il « il » IL, le surhomme que nous partageons est fatigué. J'étais bête, je trouve. Cela me barbe d'avoir été bête.

Ainsi, à dire vrai, quand tu allais bientôt revenir des Etats-Unis, nous t'attendions toutes les deux, la mère et la fille, avec urgence, et en même temps, avouons-le, c'était assez reposant pour l'une et pour l'autre de ne t'avoir pas. Oui, j'ai beaucoup apprécié ma seconde solitude. La première, après ton départ, toute révélatrice fût-elle, m'avait paru ombreuse et froide. La suivante se révéla vivace et occupée. J'ai continué à sacrifier à ma fringale de changements dans la maison – je sais mieux maintenant ce que j'essayais de me prouver en chamboulant tout – et mon premier catalogue était sous presse. On m'en a tout de suite commandé un autre, beaucoup plus savant. J'étais flattée et inquiète de la confiance qui m'était accordée : une importante collection de petits maîtres fin XVIIIe, qu'il fallait inventorier, classer, faire expertiser. Je ne me bornais plus à prendre des notes sur le bureau de notre chambre dont j'ai repoussé le rangement jusqu'à la veille de ton retour, mais je travaillais parfois au-dehors. On m'invitait à déjeuner, des gens qui s'intéressaient aux mêmes questions à Drouot venaient prendre un verre le soir, j'appartenais dorénavant à un milieu de travail, « comme un homme », me disais-je, et je me rengorgeais un peu. La preuve faite de mes moyens me procurait une sorte d'assurance dont même Christine, ta mère, s'est aperçue quand elle est venue passer quelques jours dans son appartement de Paris. « Comme tu as l'air épanouie, ma petite fille », m'a-t-elle dit, et il m'a semblé pour la première fois détecter une certaine inquiétude dans sa voix.

Nous continuions à nous écrire beaucoup, mon amour. Bien oui, quoi? Mon amour d'hier, mon amour de temps en temps encore, si tu permets, et parfois justement mal à propos quand dans mon récit intérieur je sens approcher l'affreux moment où je vais t'aimer moins, mon amour menacé.

Et puis, tu es rentré. Les affaires avaient très bien marché là-bas, vous étiez maintenant implantés, tu étais radieux. Après un sursis pour finir son droit, Jonas venait de commencer son service, il a eu une permission peu de temps après. Il était aussi grand que toi, Jonas, maintenant; il s'était mis par tendresse, par désir de te plaire, à te ressembler. Sa mère était revenue d'Amérique du Sud, il l'avait vue une ou deux fois avant qu'elle ne reparte. Mais l'émotion et la joie qu'il avait trouvées à refaire sa connaissance n'avaient rien changé à son comportement avec moi. On s'en était bien tirés tous les deux. Je m'aperçois à ce propos que je ne me parle pas beaucoup de Jonas. Bah, c'est de notre histoire à toi et à moi qu'il s'agit. Les autres, tous les autres sont des figurants. Tu es d'accord, n'est-ce pas? C'est nous seuls que je cherche.

Alors tu es rentré et tu n'as pas aimé le salon. Ah! non. Tu étais trop fatigué pour tout remettre à sa place le soir même mais, dès le lendemain matin, il a fallu que je lutte pieds et poings pour préserver quelque chose de l'atmosphère que j'avais créée sans toi. Il me semble que c'est la première fois que je t'ai tenu tête avec tant de ténacité.

Fin de l'intermède, voilà les pêcheurs qui rentrent.

– Tu as faim? crie-t-elle.

Mais oui, bien entendu il a faim, inutile de s'en
mêler, ma fille, il va ravager le réfrigérateur sans
besoin d'encouragement.

– Mouche? Tu es là, Mouche?

Je fais le mort. L'habitude de parler avec toi,
peut-être?

– Mouche? Très mauvaise pêche. Alors Pierre a
acheté des homards à O'Leary pour le dîner.

Ah bon, ça, je veux bien. Mouche est là pour les
homards. Je pousse un grognement d'enthousiasme
tandis qu'ils farfouillent dans la cuisine.

– Du frometon, dit Pierre avec une voix d'ogre.

Je pense à Simon qui grignote des noix là-bas,
très loin de nous. Pourquoi Valentine ne peut-elle
pas? Pourquoi ne peut-elle pas quoi? Et de quoi,
moi, je me mêle? On n'a pas le droit d'être séparée
de son mari et d'avoir un amant sous prétexte qu'on
est ma fille? Est-ce que je ne me suis pas comportée
de la même façon avec ma mère qui, elle, ne m'avait
épargné aucun détail sur ses aventures en son
temps? Véra est morte. Mais félicitons-nous que la
mère de Valentine soit vivante et que sa fille se
sente assez proche d'elle pour vivre sa vie, toutes
ses vies, les simples et les autres, sous ses yeux. Je
me demande si, encore une fois, je n'essaie pas
d'adopter un peu le point de vue que tu aurais dans
la circonstance, Thom, puisque tu n'es plus là pour
le faire. Il y a une pincée de père noble dans mon
comportement. Allez, c'est décidé, je vais être très
gentille avec Pierre ce soir. Non, pas très gentille,
c'est trop, et puis Simon... Je vais être juste un peu
plus souriante. Je ferai comme s'il m'intéressait.
C'est déjà pas mal de ma part.

Tiens, maintenant Valentine passe son nez par la
porte et dit que pendant que la pâte lève – ça y est,

elle lui fait encore un gâteau, mais qu'est-ce que les femmes ont à nourrir les hommes comme ça? – pendant que la pâte lève, elle va aller se baigner. Lui, Pierre, n'a pas envie.

– Je te le laisse. (Merci, je n'en veux pas.) La mer est trop belle et trop mauvaise, ajoute Valentine.

Je lance un regard vers la mer. C'est vrai, elle est en tumulte de tous les bleus.

– Fais attention, ne va pas trop loin! je crie.

On n'en finit pas d'être la mère d'un enfant.

J'aime l'ardeur de Valentine à faire les choses. Pas toi? Ça, sauf ton respect, je crois que c'est un des seuls petits côtés qu'elle tient de moi. Elle se lance entière dans tout. C'est un peu con et on se trompe souvent de chemin, mais je suis pour. Elle vole sur le sentier, son chandail blanc a l'air d'une aile. Oublions Pierre. Qu'il me laisse seule, surtout. J'en étais à ton retour? En fin de compte, pas aussi bien que ça, hein, ton retour. Tu ne reconnaissais pas tout à fait l'appartement, tu ne me reconnaissais pas tout à fait et probablement tu te sentais un peu différent toi aussi. Il fallait se réapprendre, s'ajuster à nouveau. Maintenant j'essayais de te parler de mon travail d'une façon... comment dire? d'une façon naturelle, comme si je n'avais pas honte du tout de ne plus être totalement disponible, et il t'arrivait de m'écouter avec une patience teintée d'intérêt. En fait, tu ne voulais rien savoir et n'avais qu'une hâte, c'est que je change de sujet. Mais n'anticipons pas. Dans l'ensemble, on était encore délicieusement proches, on ne savait pas ce qui nous attendait. L'événement qui a contribué à gâcher les choses – non, non, je n'exagère pas, le mot « événement » convient –, c'est l'épisode du catalogue. Et pourtant, encore une fois, j'ai tenté d'en minimiser l'importance sur le moment, et nous n'en avons plus parlé par la suite. Une de ces préoccupations enfouies en vous et qui ne se dissolvent jamais.

Quand j'ai reçu mon catalogue, MON catalogue, tu venais de partir au bureau. Tout se serait peut-être passé différemment si tu avais été encore à la maison. A la page de garde, là où mon nom était imprimé, en petit, d'accord, mais cependant en toutes lettres, on avait glissé le premier chèque reçu de ma vie pour mon travail. Ce n'était pas un immense chèque non plus, mais il m'a grisée. Je me souviens, j'ai invité ce jour-là, tout de suite, une fille qui m'avait aidée à mes débuts. Elle s'appelait Véronique comme ma mère, la fille, mais elle aussi avait changé son nom, en Véronica : décidément, c'est une appellation qu'on a tendance à ne pas accepter telle quelle. Véronica était très grande et particulièrement mince, elle portait un pantalon en tweed et une fluide blouse en soie très habillée; elle avait toujours l'art de se panacher le vêtement, cela me plaisait. On est allées à La Coupole. C'était le fief de la fille. Elle faisait le même genre de recherches que moi pour les antiquités et elle en savait beaucoup plus dans son domaine. Elle avait été très généreuse de ses connaissances quand j'avais commencé, ce en quoi elle correspondait à l'idée que je me suis toujours faite des femmes, qui sont d'office, quand on ne les empêche pas, des complices et des amies. Alors, cette Véronica était toute trouvée pour commencer à croquer mon premier argent (l'argent que l'on n'a pas gagné n'est jamais tout à fait à vous).

On a bien ri avec la fille. C'était une de ces créatures de vingt-cinq ans que je commençais à trouver jeunes avec mes trente ans déjà entamés, mais par certains côtés elle était nettement plus âgée que moi. Elle vivait avec un garçon qu'elle aimait beaucoup et se suffisait de cette relation que pour ma part je trouvais trop tiède pour être honnête. De temps en temps, histoire de voir du pays, elle s'envoyait un type en l'air, c'était sa formule. On a parlé avec une franchise immédiate, comme peuvent le faire en certaines occasions des gens qui ne se connaissent pas et ont peu de chose en commun. Elle s'est moquée de ce qu'elle s'est mise à appeler « mon puritanisme bon ton ». Nous avions déjà bu une bouteille de vin et la fille en a redemandé deux verres. Le garçon voulait nous imposer une demi-bouteille mais, pour le sport, Véronica a tenu bon, parlementé avec lui, et elle a gagné. J'étais épatée qu'elle ne soit pas gênée. Moi, je restais un peu timorée dans les restaurants quand tu n'étais pas là pour passer les commandes. Ensuite, très tard dans l'après-midi, Véronica est repartie pour retrouver « son jules », comme elle disait bêtement – les mots de tout le monde ne la gênaient pas. On s'est embrassées et assuré que l'on se reverrait. Et puis, non. Nous avions fait preuve de presque trop de sincérité spontanée, cela intimide après.

C'était l'anniversaire de ma Véronique à moi. J'ai été, en quittant la fille, lui acheter un hortensia rose. Je ne donne plus jamais d'hortensia à personne maintenant, personne. J'en offrais chaque année un à ma mère. Parfois je m'en offre un à moi-même à la même époque, mais c'est pour me sentir un peu Véra, pour me la retrouver un bout à l'intérieur. Ce jour-là, naturellement, comme d'habitude, il ne s'agissait pas de commettre l'erreur de dire à maman : « Bon anniversaire! » non, non, simplement raconter que l'on avait croisé dans une boutique ce Saxifracea rosea – sous l'influence de

Victor, Véra était toujours flattée par les noms latins – et que ce rosea-là avait paru si beau que... Le rituel consistait à oublier en se souvenant.

Je la vois comme si j'y étais encore, ma Véra. Elle s'était noué un turban vert autour des cheveux. Cela donnait un reflet d'émeraude à ses yeux bleus. Elle avait l'air, en recevant mon hommage, d'une petite idole impérieuse.

– C'est bien, tu arriveras, m'a-t-elle dit en caressant le papier lisse de mon catalogue du plat de la main. Mais, surtout, n'oublie pas d'être ambitieuse, même si le Thomas t'affirme que ce n'est pas une vertu féminine.

Il faisait beau ce jour-là, un de ces temps qui vous donnent l'impression d'être une fleur, une plume qui flotte dans un air à odeur de miel. Je suis rentrée à pied, j'ai commandé tout ce que tu préférais pour dîner et je me suis mise belle, encore une de ces robes putasses probablement, et puis j'ai posé sur ton sous-main, à côté de mon catalogue, un chèque dont le montant était exactement la moitié de mon premier argent gagné, avec, épinglée dessus, une carte : « Hommage de l'auteur. »

Tu es rentré, tu m'as prise dans tes bras, bien chaudement comme tous les soirs, et comme tous les soirs tu t'es dirigé vers ton bureau pour chercher le courrier. Tu as ramassé mon chèque, tu l'as lu sans dire un mot, puis tu m'as regardée enfin. Un de ces regards où ton œil devenait de plomb.

– Qu'est-ce que c'est que ça? as-tu dit, le rectangle vert pâle entre deux doigts, la babine relevée, le nez plissé en l'air comme si cet argent avait une odeur. Je n'en veux pas de ton chèque. Que vas-tu croire? Que je vais accepter d'être « Monsieur Iris », de me faire entretenir par toi?

Ensuite tu m'as tourné le dos pour aller vers la

corbeille à papier et tu as déchiré le petit rectangle vert, comme on lacère une lettre d'injures. Je me suis penchée pour ramasser par terre le carton « Hommage de l'auteur » que tu avais laissé tomber et je suis partie dans ma chambre.

Thom, je crois que je ne te l'ai jamais pardonné.

Il y a des moments où il ne se passe rien que la vie, où celle-ci ne laisse pas de marque. On en était là. Et puis Christine est morte. Avec elle a disparu une certaine façon d'être heureux et d'être aimé.

Tu t'es renfrogné longtemps dans un chagrin courroucé, mon pauvre fils de mère, abandonné par elle à jamais. Comme je t'ai plaint de ne pas avoir prévu ce jour. Moi, je craignais la mort de Victor et de Véra depuis le fond de mon enfance. Lorsque cela est arrivé, c'était comme si j'avais déjà payé à tempérament une partie de ma peine par le fait même d'en avoir réalisé d'avance l'ampleur.

Je t'ai beaucoup aimé en vain à ce moment-là, mon cher chéri perdu, mais je ne servais à rien. Tu choisissais d'être fermé et piquant comme un oursin et je ne savais pas te prendre. D'ailleurs, tu ne voulais pas être pris. Tu voulais m'en vouloir puisque tu étais malheureux. Cherchez la femme, dans ces cas-là. Eh oui, cherchez la femme...

C'est quelques mois plus tard que se situe « l'épisode suédois ». C'est exactement le soir où je suis rentrée à Paris après avoir passé trois jours à Strasbourg pour prévoir cette exposition qui s'organisait là-bas, trois jours au lieu des cinq que l'on m'avait proposés. Cela ferait trop de bruit, cinq jours, m'étais-je dit. Mais trois petits jours, même en travers du week-end, pour lui qui s'en va parfois une semaine ou deux, il ne va pas en faire un drame?

Drame il y a eu cependant, mais pas celui que j'avais craint.

Cela avait très bien commencé. Mon retour, je veux dire. D'abord, tu m'as ouvert la porte gaiement. En soi, c'était déjà un détail agréable et j'ai été touchée. Gaiement! D'habitude tu avais l'accueil glacial lorsque mon travail me ramenait ne serait-ce qu'une heure en retard, et tu faisais « gueule de loup ». J'appelais comme cela tes humeurs froides. Mais là, c'était gueule de doux agneau. Je te jure, ça changeait tout.

– Bonjour, chérie. Tu dois être fatiguée. Tu veux boire quelque chose? J'ai préparé de la glace. Ça s'est bien passé ton... ta...?

Tu feignais toujours de ne pas savoir exactement ce que j'avais été faire ailleurs.

Oui, ça s'était bien passé, mon... Oui, merci, un verre... Je me sentais heureuse d'être revenue et retrouvée avec tendresse. Nous avons bien dîné. Avant de partir samedi après-midi, Jeanette avait préparé « un collation » comme elle disait toujours, et j'avais plaisir à respecter les fantaisies de sa grammaire; elle avait aussi – comme elle était gentille, Jeanette – pris le temps de mettre un bouquet, à la va comme je t'enfourne, il faut bien l'avouer, dans le salon. Et j'avais refait celui-ci fleur à fleur, pas pour que tu le regardes, pour qu'il soit comme tu l'aimerais si tu le regardais.

Puis j'ai pris un grand bain odorant et, du fond de ma mousse, je t'ai crié quelques phrases optimis-

tes : « Comme c'est délicieux de rentrer chez soi »,
des choses comme ça que l'on soupire joyeusement
dans les bains entre deux coups de brosse. Je crois
même que je me suis hasardée à une plaisanterie
qui ne m'a pas fait rire par la suite : « On partirait
rien que pour revenir. » Tu n'as pas relevé.

Tout de suite après mon bain, je me suis couchée.
Tu étais encore à faire ta toilette, il faisait bon
chaud dans le lit. Je me suis enfoncée jusqu'au fond.
Tiens ? Il y avait quelque chose au fond. J'ai gra-
fouillé des orteils un moment et j'ai fini par ramener à la lumière un petit slip blanc en parfait état,
taille trente-huit, deux marguerites bleues de chaque côté de l'échancrure. Je le vois comme si j'y
étais.

Thom, tu te rends compte ? Un petit slip... Non, tu
ne te rends pas compte. Tu ne t'es jamais rendu
compte. Mais moi, oui.

A ce moment-là – la scène aurait pu avoir été
réglée par un Machiavel de second ordre, mâtiné de
Feydeau –, juste à ce moment-là tu t'es amené dans
la chambre, nu, rose d'eau chaude, beau, ton
pyjama en soie gansée, le plus luxe de tous, celui que
je t'avais donné à Noël, froissé dans la main. Moi, je
tenais le « taille trente-huit » entre deux doigts réti-
cents et j'étais tellement sciée par ma découverte
que je n'ai pas commencé par poser d'une voix de
ténèbres la question évidente. Comme une actrice
d'un mauvais Feydeau, là aussi, qui se tromperait
d'une ligne dans son texte, j'ai simplement dit :

– Tu as changé de pyjama ?

Et puis, je suis quand même revenue à la bonne
page du scénario et je t'ai lancé violemment le slip à
ta gueule de loup et d'agneau et de traître.

Tu as posé la petite pelure par terre, comme si
elle ne te concernait pas le moins du monde, et tu

t'es assis dans le fauteuil gris avec une simplicité inquiétante. A croire que tu n'avais fait que ça, toute notre vie ensemble, d'avoir des slips taille trente-huit au fond du lit conjugal. C'est dommage, mais une taille quarante-huit m'aurait moins affligée. Et tu t'es mis à me parler d'une voix calme, une voix d'hôpital au service des agités dans le style : « Il ne faut pas que nous énervions notre chère petite malade. »

– Euh... oui... voilà... (un bon temps d'arrêt entre chaque mot), j'avais l'intention de te le dire d'ailleurs (mais naturellement). Voilà, j'ai couché avec Ruttie avant qu'elle ne s'en aille. C'est elle qui me l'a proposé. (Bien entendu, et cela ne se refuse pas ces choses-là. Faut rendre service.) Rassure-toi, elle est partie ce matin. (Comme c'était rassurant, en effet.)

– Et, en partant, elle a laissé sa carte de visite.

Même sur le vif, j'étais très contente de ma réplique. C'est fou le bien que peuvent vous faire au mauvais moment certaines petites phrases.

– Ça m'étonne, as-tu répondu. C'est pas son genre. (Ah? parce que, en plus, tu connaissais son genre?)

– Moi, je croyais bien que ce n'était pas le tien de coucher avec les jeunes filles au pair.

Ça continuait à marcher, mes petites phrases. Mais j'ai senti que celle-là, pour ce qu'elle valait, était la dernière. J'étais soudain tellement malheureuse et déconfite que je ne savais pas par quel bout me plaindre. Et je me répétais comme un disque usé : Et moi qui lui ai donné une écharpe en cadeau d'adieu! « Mais bien sûr, Ruttie, si ça vous arrange, restez quelques jours de plus dans votre chambre après le départ de Valentine. Je vous en prie. » (Et allez donc occuper la mienne et prendre livraison du corps consentant de mon mari en prime.)

Tu me regardais sans bouger. D'évidence, tu t'attendais aux imprécations qui doivent être d'usage. Mon silence te déroutait. Tu t'es mis à chercher tes mots, les yeux bas.

– Inutile de te dire que c'est une histoire sans lendemain.

Ces histoires-là n'ont pas besoin d'avoir des lendemains, il leur suffit d'avoir un hier.

Et tu continuais, la voix terne, mon pauvre loup, croyant arranger tes affaires, avec ta patience triste.

– C'était la première fois depuis notre mariage. Tu connais beaucoup d'hommes qui...?

Non, justement, je ne connaissais pas beaucoup d'hommes. J'avais fait en sorte de ne connaître que toi. Ça, je ne te l'ai pas signalé sur le moment. Cela aurait été bien pourtant. Mais j'étais au bout de mes petites forces. Il n'y a pas à dire, elle nous avait mis dans de beaux draps, la Ruttie. Et toi, Thom, si tu y étais tombé, dans ces draps, c'était par plaisir bien sûr mais c'était aussi, je crois, en représailles : « Qui va à la chasse perd son homme et, quand elle revient, elle trouve une petite culotte. » Vieux proverbe suédois.

Plus tard, tu m'as demandé pardon. J'ai dit que je te pardonnais. Mais ce n'était pas vrai, Thom. Tu m'as fait jurer d'oublier et de décider que nous n'en parlerions plus jamais. J'ai consenti. Mais on ne fait pas ce que l'on veut avec soi-même. J'ai continué à m'en parler à l'intérieur de moi et rien, à partir de ce moment, n'a plus été comme avant. Pourtant, tu es devenu un peu plus humain, tu essayais mieux de m'accepter telle que j'étais. Il t'arrivait même de faire preuve d'une sorte de fierté quand tu feuille-

tais en silence un ouvrage auquel j'avais participé.
Je ne te les montrais plus spontanément, ces ouvra-
ges-là, je suis de ces pauvres gens incapables d'oublier certaines blessures, mais c'était toi maintenant
qui cherchais à les voir, qui me posais des questions
sur les études que j'avais reprises à l'Ecole du
Louvre, et j'en éprouvais un silencieux plaisir. Mais,
il n'empêche, je ne pouvais pas oublier le point de
départ de ce changement, et l'idée que je devais
cette amélioration de ton comportement à une
petite culotte taille trente-huit me gâchait le soulagement même que j'éprouvais à mieux pouvoir
partager avec toi la part dorénavant essentielle de
mes jours.

– Comprendras-tu enfin? m'avais-tu dit ce soir-
là.

Quoi? Qu'une femme ne doit pas abandonner son
homme? Que la chair est triste peut-être mais hélas
irrésistible, et pati et pata...?

Oui, j'avais enfin compris deux ou trois choses. Et
c'est ainsi qu'Iris, longtemps une imbécile de haute
volée, a fait connaissance avec la trahison. Le pire,
c'est qu'elle y a trouvé tout de suite un plaisir amer.
Alors je t'ai trompé à mon tour, Thomas. Mais moi
j'ai pris la peine de ne pas laisser traîner de caleçon
pur Oxford sous notre couette, et je ne t'en ai rien
dit. Ne va pas croire que cela ait été de gaieté de
cœur ni parfois de corps que j'ai agi ainsi. J'ai
toujours préféré le tien, de corps. Non, je t'ai trompé
pour ne pas être une femme trompée.

Est-ce que tu aimes mieux la pilule ainsi dorée?

En fait, je me demande si cela consolerait une
âme au monde d'avoir été trompée à regret. Pas
moi, pour sûr, alors que m'aura longtemps détruite
l'idée de ta... de tes... nuits (je vois mal ce que vous
auriez fait avec les deux autres) en compagnie de

Ruttie. Ma seule façon de te rester fidèle, ce fut de t'être infidèle avec des gens qui ne faisaient que passer et que tu ne connaissais pas. Oh! inutile d'en faire un monde; d'ailleurs il n'y en a pas eu des masses. Juste de quoi ne pas mourir idiote et comprendre l'homme grand H. Qu'est-ce que je dis? L'homme petit h. Il s'agissait au contraire de minimiser l'importance de ces bestiaux dont, mon dieu tombé, tu faisais dorénavant partie.

C'était chaque fois une affaire de m'amener à suivre l'un ou l'autre dans sa tanière. Car inutile de préciser que je pratiquais la trompe d'après-midi.

Il y a d'abord eu le Canadien qui avait voulu être prêtre. Il en avait gardé une sorte de puritanisme teinté d'amoralité et faisait l'amour comme un artiste joue du violon en vibrant. C'était le mieux, celui-là, j'ai bien fait de commencer par lui. Peut-être même aurais-je pu l'aimer. Mais je n'étais pas mûre pour cela. Nous sommes toujours des amis. J'oserais l'appeler au milieu de la nuit si je croyais mourir. Ça compte, ça. Il y a eu le gros poète un peu impuissant et fat qui aimait la baise de grands hôtels et qui citait ses propres vers, les yeux au plafond, après son orgasme de troisième classe. Et, une seule fois, le grand benêt très beau – j'en voulais au moins un de bestial de ces bestiaux –, de dix ans plus jeune que moi, si fier de son pistolet à trois coups et qui m'a demandé, au moment où il se rebraguettait, encore tout enflé du souvenir de son sexe conquérant : « Ça a été bien pour toi? », tout en sachant pertinemment qu'il avait tiré ses coups comme un canon aveugle sans se préoccuper outre mesure de me donner autre chose que le plus élémentaire plaisir au passage. Je lui ai répondu en m'admirant moi-même, mais cela aurait dû être toi que j'admirais, Thomas, c'est toi qui m'as appris qu'il existe un art d'aimer les femmes..., je lui ai répondu, au grand canon : « Non, ça n'a pas été bien, tu es un assez mauvais amant quoique tu sois très viril. » Sur ce, nous sommes partis chacun de notre côté, avec l'espoir de ne plus jamais nous croiser.

Il y a eu aussi... Oh! pas grand monde, je te dis, et ne me demande pas de détails, je ne vais pas compter mes scalps. Surtout, il y a eu Jean. Allons, il faut y passer, je ne peux plus repousser le moment de parler de lui.

Je l'ai rencontré à un déjeuner chez un collectionneur. Il était marchand de tableaux spécialisé dans les gravures. On l'avait placé en face de moi à table. Pas tellement mon genre de prime abord – avais-je un genre d'ailleurs? – mais du charme. Quelque chose de chaud et de spontané, un enthousiasme gai et communicatif. Tout à fait dénué de morgue, de cynisme. C'est une chose qui m'a plu. J'avais fait ma cure de cynisme avec toi. Il était de taille moyenne, de couleur blonde et bleue, totalement dénué de chic. Musicologue averti, il chantait des bribes de symphonies dans les silences et, au concert, il suivait – qu'est-ce que j'ai à le mettre au passé, lui aussi? il est encore parmi nous, même si lui et moi... – et au concert il suit toujours la partition avec une tremblante émotion, les yeux à demi clos. Bien oui, il m'a plu. Et j'ai aimé la façon dont il m'a fait savoir que je lui plaisais. Il me l'a dit tout de go, tout rond, la première fois que je l'ai rencontré quand nous étions assis l'un à côté de l'autre, après le repas, à parler « marché de l'art » avec notre collectionneur.

Evidemment, tout cela était plus facile parce que tu n'étais pas là. Maintenant que tu essayais de t'intéresser à mon travail, tu n'aurais pas dû refuser de connaître le milieu où celui-ci avait lieu, Thom, ni prendre ton air blasé et las pour traiter de haut mes invités quand je leur demandais de venir dîner et, lorsqu'ils étaient partis, soupirer qu'ils étaient communs ou que leur jargon artistique était insupportable. Tu n'aurais pas dû, Thom. Mais que tu l'aies fait rendait tout aisé. Je ne me sentais pas coupable. Nous étions deux moi dorénavant et l'un d'eux, celui que tu choisissais d'ignorer et qui n'était pas parvenu à oublier la jeune fille Ruttie, se sentait le droit d'accepter les hommages des hommes et leur suite possible.

J'étais tout à fait à l'aise quand j'ai répondu à Jean que je voulais bien déjeuner avec lui un jour de la semaine suivante et, le ver de la trahison étant déjà bien installé dans le fruit, en te retrouvant le soir, quand tu m'as interrogée sur l'emploi de ma journée, je n'ai même pas eu le petit frisson odieux de mes débuts en omettant ce détail qui allait se prouver d'importance. Dès qu'on ne dit pas tout une fois, c'est foutu. Note, je croyais que Jean serait un passant, une nouvelle planche dessinée pour ajouter à mon étude de l'Homo pas toujours sapiens.

Il m'avait donné rendez-vous dans un bistrot près de la place des Victoires, là où Louis XIV caracole sur son alezan, enfin c'est plutôt un cheval de labour, sa bête. J'ai pensé à ce rendez-vous plusieurs fois au travers de la semaine. Je me demandais bien pourquoi cet homme un peu trop lourd, avec sa cravate zinzin mal attachée autour de son cou et ses souliers de boy-scout, qui m'avait annoncé sans hésitation que j'étais belle et que cela m'allait bien ce rouge ou ce vert de ma robe, à une sauce ou à une autre, des trucs de mec, sans plus, quoi, me tournait en rond comme ça dans la tête. Les autres, les « expérimentaux » comme je me les appelais, je ne pensais pas à eux, sauf sur le motif. Mais voilà, allez me dire pourquoi je pensais à celui-ci. Cela me donnait rudement de forces pour te tenir tête dans le quotidien, et tu te laissais assez bien faire quand on te tenait tête. Cela aussi m'a presque déçue au cours de notre seconde vie. Je situe le début de notre seconde vie au voyage en Amérique.

Le jour du déjeuner Jean, je me suis habillée plutôt moche, sans trop pousser, mais enfin comme tous les autres jours. J'ai renoncé au « grand chiqué » comme disait Véra. Je n'allais pas lui faire de cadeaux, à celui-là, pas plus qu'aux autres. C'était lui, c'étaient eux tous que je chargeais de m'en faire, des cadeaux, de m'offrir la légèreté d'être et la joie sans conséquence. Cela me devenait de plus en plus difficile de glaner cela au cours de mes éphémères rencontres, j'en avais déjà un peu ras-le-corps de l'éphémère. Il y a souvent quelque chose de trivial et de triste dans ces histoires où l'on ne prête qu'un petit peu de soi entre deux portes, entre deux heures... Enfin, cela pour dire que, ce jour-là, tout à coup cela ne m'amusait plus. Qu'allais-je bien fiche, moi, avec ce monsieur ?

Je n'ai pas envie de te le dire, je n'ai pas envie de te raconter ce que j'ai fichu. J'ai couché avec lui. Comme ça, bang ! du premier coup. Et, en plus, ce monsieur est devenu bien plus qu'une aventure.

Après les hors-d'œuvre peu variés et le steak-frites molles du bistrot qui sentait l'échalote, il m'a ramenée un moment chez lui pour me montrer ses estampes. Franchement on le connaît, ce coup-là, mais en l'occurrence nous avions des métiers de même nature et nous avions parlé boulot pendant le déjeuner, je ne voyais aucune raison de faire ce misérable rapprochement. Il habitait tout près. Chez lui, c'était un lieu assez anonyme, un lieu d'homme seul qui ne pense pas beaucoup au décor. De belles estampes étaient au mur et un piano luisant installé comme un molosse au milieu de la pièce. C'était tout. On a pris un autre café et il m'a dit : « Vous voulez? On va coucher ensemble. Je vous aime bien. » C'était si plat que c'était rare. Pour moi enfin, qui ne savais rien ou presque sur les hommes. Ce n'est pas à l'aide de quelques spécimens que l'on peut définir l'espèce. Peut-être que la fille Véronica avec laquelle j'avais déjeuné à La Coupole, ou ta jeune fille au pair, cela ne leur aurait rien dit de rare, la question fondamentale posée sans artifices. Jean a peut-être profité là du bénéfice de l'ignorance. Quoi qu'il en soit, j'ai dit oui aussi sec.

Pour faire l'amour, il devait enlever ses lunettes et c'était comme une deuxième découverte de l'avoir contre soi, cet inconnu démuni, le regard flou comme un poisson des profondeurs.

C'était un bon amant. Allez! pas si bon que toi, mais doux et caressant. Et surtout, ces choses-là ne s'expliquent pas d'emblée, je me sentais bien à ses côtés. Il était simple et apaisant et ne te ressemblait pas du tout. J'ai eu envie de rester avec lui long-temps dans l'après-midi et de l'aimer peut-être, un peu, beaucoup, mais pas passionnément. Non, plus jamais de passionnément, S.V.P.

J'avais eu le temps de l'oublier... Qu'est-ce que je raconte? Je n'avais pas eu le temps de l'apprendre, mais n'importe quel petit amour vous réinvente, vous taille en pointe, vous met à la proue de vous-même. C'est délicieux les sentiments nou-veaux. On devrait en faire la réclame comme pour

le beaujolais : « Le Sentiment Nouveau est arrivé. »

Lorsque nous nous sommes quittés, Jean et moi,
après nous être félicités sur notre rencontre, nous
sommes convenus d'un prochain rendez-vous, et
puis, ensuite, il y a eu beaucoup de rendez-vous. Tu
n'avais pas réagi pour les premiers bestiaux, mais là
tu as senti très vite que je n'étais plus à toi. Et tu
n'aimais que ce qui t'appartenait. Cependant, m'ai-
mant moins, tu voulais me garder tout autant.
Quand tu rentrais le soir, ou pendant le week-end,
tu étais là, planté sur mon ombre, marchant délibérément dans mon sillage pour que je ne m'évade
pas. Tu étais lourd. Je ne te disais pas : « Mais
laisse-moi donc tranquille. » Et encore moins :
« J'ai un amant. » Non, nous nous parlions sur le
ton gris, et pour quelque temps encore la vie faisait
semblant d'être la même. Je rencontrais Jean de
plus en plus souvent. C'était devenu le moment
important de mes journées. Il m'aidait aussi dans
mon travail, nous réalisions ce dont j'avais toujours
rêvé avec un homme, une collaboration. Je m'occupais moins de Valentine, je m'intéressais moins aux
fleurs dans le vase, et tes reproches ou tes critiques
– que cela ait été au sujet du rôti trop cuit ou de
mon indifférence non dissimulée à l'histoire que tu
me racontais – ne m'atteignaient pas. J'étais amoureuse, je te dis. J'étais une autre, aimée par un
autre. Tu comprends, non, tu ne comprendrais pas,
je m'amusais avec Jean. Je m'amusais différemment. Il m'emmenait dans des endroits où nous
n'aurions jamais rêvé d'aller toi et moi, des repaires
sordides et drôles au bord de l'eau où l'on cassait la
croûte à côté de pêcheurs sans poisson auxquels le
litron de rouge conférait une faconde de marin
d'Homère. Il connaissait des musiciens qui nous

invitaient à assister aux répétitions tôt le matin, puis on marchait, cherchant les rues marginales et les petits musées cachés. On perdait son temps. Tout ce que tu ne pouvais pas souffrir, Thomas. Et, pendant ce temps-là, tu partais à ton bureau, tu revenais de ton bureau, tu gagnais la plus grande partie de notre pain quotidien, tu me lançais des regards anxieux, et je n'avais pas honte. C'est pas joli la triche, je suis d'accord.

Jean me trouvait très conventionnelle : « Avec tes grands restaurants et tes écharpes Hermès », disait-il. (Je lui avais raconté pour la jeune fille suédoise. Un des charmes d'un bon amant de cœur, c'est qu'il aime quand on lui parle de soi. Et, après tout, être neuve à quelqu'un, c'est la seule virginité valable.) Je sentais qu'il m'envahissait. Que plus je m'amusais avec lui, moins je pouvais le faire avec toi. J'ai réalisé qu'il me fallait mettre un frein. Et puis, Jean commençait à être exigeant, à se croire des droits. Un homme qui vous possède à moitié se met à vouloir tout, cela l'agace, cette portion congrue de femme. Et lui, il était divorcé – « à l'amiable, pas à l'aimable », disait-il –, ses filles vivaient avec son ex-femme, il ne les prenait que pour les vacances ou les week-ends. Il faisait de plus en plus souvent allusion au bonheur de la vie à deux quand on se comprend, au plaisir des réveils en commun. Je ne voulais pas l'entendre. Nous n'avions pas même passé une nuit ensemble, lui et moi, une nuit entière. J'en avais envie bien sûr, mais je n'étais pas capable de faire ce pas-là. Je donnais encore de l'importance à tout à cette époque. Dormir avec quelqu'un d'autre que toi? C'était un fameux geste.

Valentine partait pour Rome avec son école au début des vacances, j'ai décidé d'aller seule à Glenmara, en éclaireur, réfléchir à tout cela quelques jours. Jean voulut m'accompagner. Mais ça, non. J'avais beau être très amoureuse de lui – comment te dire, comment te répéter très amoureuse « différemment »? –, je ne pouvais pas encore lui ouvrir les portes de mon lieu-dit. Et puis, tu allais venir plus tard, il n'y avait qu'un grand lit à Glenmara... Non. Même le sale coup de Ruttie dans mes draps roses ne me libérait pas de certains usages affectifs. Alors Jean m'a proposé un compromis. Il devait aller à Oxford voir un expert célèbre. (Je me demande si c'était bien vrai. Quoi qu'il en soit, cela m'arrangeait à l'époque de le croire.) Nous pourrions passer un jour ou deux ensemble et moi, ensuite, je prendrais mon avion. J'ai accepté.

Je trouvais très difficile de ne pas sauter de joie en faisant mes bagages. C'était la première fois que je partais délibérément avant toi, offrant pour ce faire des explications floues dont tu ne creusais pas la véracité. Mais tu n'y croyais pas. Jusqu'au dernier moment, n'est-ce pas, Thom? Tu ne croyais pas que je partirais. Si tu m'avais seulement dit : « Je t'aime horriblement, ne pars pas, tu es ma vie, je ne peux pas me passer de toi » – un grand truc comme ça qui chamboule tout au fond du cœur, je crois que... Mais tu tournais autour de ma valise, le visage austère et prétendument indifférent. Je ne sais pourquoi, tu me faisais penser au père de Chateaubriand dont les enfants entendaient résonner le pas dans la tour de Combourg. Mais je n'avais pas le temps de me pencher sur les malheurs du père de Chateaubriand. Il n'y a rien de plus prenant, de plus annihilant que le moindre petit sentiment amoureux. Ça efface même le présent.

Je suis partie. Je ne dirais pas que ce fut sans me retourner. Mais enfin, j'ai fermé la porte. C'est ce qu'il y a de plus dur, fermer la porte. Après, chaque pas vous libère, en vous éloignant.

Jean m'attendait à Heathrow. C'était dommage, dans un sens, de le retrouver en Angleterre, là où toi et moi nous étions vus pour la première fois, mais, si l'on regarde les choses comme cela, chaque endroit, chaque jour est piégé. D'ailleurs, toi et moi n'étions jamais allés à Oxford. Il n'y avait aucun risque de rencontrer l'ombre de ton souvenir à l'ombre de l'université.

Jean aimait m'étonner. Comme un prestidigitateur sort une colombe de son chapeau, il produisait des lieux et des situations. Il avait loué une voiture, retenu une chambre dans un hôtel près d'Oxford. Quelque chose de chintzeux et de *cosy* (mot intraduisible en français, inutile d'essayer), au milieu d'un parc qui correspondait en tout point à l'emploi de notre temps et à notre clandestinité. Comme Jean avait toujours besoin d'un accompagnement musical, c'était dans cette maison qu'avait habité un jeune musicien romantique et inconnu que Jean déifiait. Il y avait dans la cheminée un feu électrique façon fausse bûche et fausse flamme, il faisait froid en plein juillet, Jean avait emporté la partition du jeune musicien et me l'a fredonnée après le dîner. La fenêtre s'ouvrait sur un jardin foisonnant où chaque fleur penchait sur une autre fleur tout contre elle, une nature dense et serrée avec cette superbe intention de désordre dont les jardins à la française refusent le secret. Tout aurait été parfait si je n'avais pas été si gênée. Si je n'avais pas eu sans cesse envie de me retourner pour voir si tu étais là, caché derrière un pilier, comme dans le salon à la soirée américaine. Comme j'étais démodée, Thom! Est-ce que ça existe encore des bonnes femmes comme moi? J'en doute. Quand je me suis réveillée à côté de mon amant, j'ai fait tout au monde pour ne pas penser à notre premier matin à toi et à moi, là-bas, dans notre passé à Senlis, quand je t'aimais plus que moi-même. Naturellement, je n'y suis arrivée qu'à moitié. Il y avait comme un garde du corps, de nos corps, qui tenait à me ramener à l'évidence : « Tu te souviens de ce que tu éprouvais pour Thomas? Ce qui t'arrive aujourd'hui n'a aucune comparaison avec l'autre bonheur. » Mais je ne voulais pas me laisser faire par le passé. Pour une fois, je tentais de le remettre à sa place. Qu'hier, s'il vous plaît, me foute la paix! Je voulais vivre un délicieux et gai aujourd'hui, sur fond de cretonne fleurie et d'odeur de thé de Chine, avec ce nouvel homme endormi à côté de moi et qui avait un torse de vizir. Je dis toujours « torse de vizir » quand je parle des hommes sans poils. C'est une habitude de Véra, un caractère acquis en quelque sorte. Elle décrivait les hommes lisses de sa vie, enfin de son lit, et il y en a eu quelques-uns, si j'ai bien entendu, à l'aide de cette image-là. « Untel avait un beau torse de vizir. » Cela me faisait bizarrement rêver à quatorze ans, le torse des hommes de ma mère. Mais j'aimais bien tout de même l'entendre évoquer ses expériences. Elle me racontait ses aventures, dont l'essence même choquait ma pruderie, comme d'autres égrènent les contes de Perrault. Je crois maintenant qu'il y avait là comme une thérapie. Véra avait deviné à quel point j'étais austère et absolue, elle voulut introduire, pour mon bénéfice, la notion de relatif dans les choses de l'amour, et puis elle finissait toujours par cette phrase rassurante : « Mais, tu sais, je n'ai jamais envisagé de quitter ton père, c'est toujours lui que j'ai préféré. Les autres... » Elle faisait un geste d'abandon et je voyais toute une série d'hommes lisses tomber dans une fosse sur laquelle Véra dédaignait de se pencher. Cela dit, l'éducation par l'exemple, j' t'en fous. Moi, j'ai fait tout le contraire de ma mère, Thom. Avec un premier « autre » homme à bientôt quarante ans, je n'ai pas eu beaucoup d'aventures et un jour je t'ai quitté.

Mon départ a commencé le soir où j'ai dormi à côté de mon vizir à moi qui avait une belle peau beige, douce et luisante comme si elle venait d'être huilée. Il a continué le lendemain matin où je me suis réveillée à côté de ce vizir en me disant un peu timidement, ces choses-là font toujours peur : « Je suis heureuse. »

Nous ne sommes restés que deux jours ensemble. Ensuite, je partais pour Glenmara. Vous alliez arriver très vite, toi et Valentine, je voulais penser.

Quand vous êtes venus, je n'avais rien résolu, tout était encore possible entre nous.

Tu aurais dû être très gentil avec moi, tu sais, Thom. Si tout le monde se met à quitter le navire en même temps, pas étonnant qu'il soit vide. Tu aurais dû m'aider à t'aimer. Au contraire, tu étais froid et tu jouais l'indifférence. Tu n'avais jamais apprécié Glenmara. Cette fois-là, tu en as profité pour régler ton compte avec les lieux en m'attaquant par surcroît dans ce que j'avais de plus cher. Rien n'était à ton goût, ni le temps, ni le ciel dans sa capricieuse diversité, ni la mer trop froide, ni la maison trop petite. Tu ressortais toute ta panoplie de reproches jusqu'à ce que je te dise : « Mais ne viens plus ici si cela te déplaît tant que cela. » Ma phrase a sonné comme un glas, car tu n'es jamais revenu à Glenmara, Thomas.

Je me souviens aussi d'un incident qui a compté. Un jour où nous avions été nous baigner à la grande plage du Sud, Valentine, qui l'aimait bien quand celle-ci s'occupait d'elle, a dit en rentrant le soir :

– Si on envoyait une carte à Ruttie?

Ruttie, elle, n'oubliait jamais d'envoyer à Valentine des cartes postales des autres pays, des autres maisons où elle était et où elle séduisait probablement de la même façon les obligeants papas des gracieux bambins à sa charge.

– Tu te rappelles, maman, continuait Valentine, elle aimait bien se baigner à la pointe.

Pourquoi ne se permet-on pas la vulgarité? J'avais deux, trois remarques très au point à servir chaud, sur ce que Ruttie aimait ou n'aimait pas. Au lieu de cela, j'ai marmonné un acquiescement flou, croyant que l'on en resterait là. Mais toi, Thomas, toi qui avais supplié qu'on n'en parle plus jamais de la personne – elle t'apparaissait peut-être maintenant comme une complice dont l'image arrivait à point pour balancer la présence que tu voulais ignorer –, tu as dit gaiement :

– Ah! oui, Ruttie, en effet, quelle bonne idée!

Et, penchés sur la table de chêne, vous vous êtes mis, le père et la fille, à traficoter un message qui vous faisait vous esclaffer en chemin.

Je n'ai pas lu la carte et je n'ai pas signé la carte. Non, le dossier n'était pas clos. Je n'avais pas réglé mes comptes avec la Suède. J'y pensais encore et cela continue à l'occasion. C'est aussi le fait qu'à l'époque je ne t'ai jamais posé de questions à ce sujet, que je ne t'ai jamais poursuivi jusqu'à ce que tu me répondes. Et, pourtant, j'en crevais d'envie. Quelle connerie, l'orgueil!

Comment faisait-elle l'amour, hein, Ruttie, avec ses grandes jambes et ses grandes dents (blanches, c'est vrai, les dents)? Et que lui as-tu dit en le faisant, cet amour? C'est idiot, je ne le saurai jamais.

Et par-dessus le marché, bon, inutile de feindre de l'ignorer, elle était belle, la vilaine, et claire comme un lac. Elle avait l'air à perpétuité de jouer dans une sorte de songe de nuit d'été sur la Baltique. Elle était même trop la personne de la situation, tu ne trouves pas ? « Jeune Nordique propre jusqu'au bout des cheveux, disponible pour quadragénaire (mais non, tu venais d'avoir cinquante ans, Thom), pour quinquagénaire qui s'emmerde dans son appartement désert. »

Je regrette de n'avoir pas été indiscrète, hargneuse, reprocheuse, sur le moment, fumelle en un mot. Tu aurais peut-être aimé ? Mais dis, comment elle faisait ça, l'amour, Ruttie ? J'espère qu'elle était du style gymnastique suédoise ? L'orgasme hygiénique et organisé ?

Quelques jours après la carte à la Suède, j'ai décidé... que j'allais décider à mon retour à Paris. Et, à partir de là, je me suis livrée à Glenmara comme on se drogue. Je n'ai plus voulu être concernée que par la beauté de la mer, la sale mine du rhododendron qui battait de l'aile et qu'il allait falloir couper à ras, ou par l'herbe que O'Leary repoussait sans fin le moment de tondre. J'ai travaillé dans la maison comme jamais auparavant. J'ai fait des confitures de mûres, lessivé la cuisine, mis du papier propre dans les armoires, j'ai même fait faire des maths à Valentine qui n'en revenait pas. Dans les moments creux, j'essayais de vous fourguer tous dans le même panier, les hommes. Je n'en aimais aucun, voilà, c'était ce qu'il y avait de plus simple. Je n'avais envie de rien ni de personne. Quand tu étais contre moi, je pensais à Jean et à Ruttie, comme s'ils avaient été amants, eux aussi, et je les mêlais dans un dégoût de la chair dont la découverte m'inquiétait. Je n'avais jamais rien eu contre la chair jusque-là.

Une fois, alors que tu venais de repartir pour Paris (cela, c'était une innovation, Thom; d'habitude j'arrivais et je repartais toujours en même temps que toi, cela n'aurait pas pu se passer autrement quand je t'aimais à plein, jeune homme perdu, car en ce temps-là Glenmara, même Glenmara, n'avait plus de charme sans toi), une fois donc, Jean m'a écrit qu'il voulait m'épouser, que nous devrions recommencer notre vie ensemble. Tu n'étais plus là. Et, soudain, cela m'a paru la meilleure des solutions. Mais oui, recommencer, être neuve à un nouvel amour, ne pas faire les mêmes bêtises, se retrouver marquée par la vie peut-être, mais grâce au changement découvrir en soi une sorte d'adolescence du cœur. Le cœur, ce n'est pas comme les cellules cérébrales, n'est-ce pas? ça se répare. Ah! t'oublier, Thom, ou tout au moins éprouver pour toi une apaisante indifférence.

Quand je suis revenue à Paris, j'étais résolue à te parler.

Je me suis réveillée tôt, à l'heure que Véra appelait « l'heure rose », j'ai été me faire une tasse de thé, puis je suis remontée et je me suis couchée à nouveau. Accoudée aux deux oreillers en dentelle crochetée par ma grand-mère Brenda, je me fais penser à maman qui aimait traîner le matin avec tous ses objets du culte autour d'elle : le téléphone, sa panoplie pour les ongles, le journal à la page des horoscopes, les lettres auxquelles elle avait l'habitude de répondre de son lit et toujours ce même livre de poèmes écorné, cette *Saison en enfer* éternelle qu'elle s'est obstinée à consommer à petites doses toute sa vie : « A noir, I rouge... », « Comme je descendais des fleuves impassibles... » Je vois encore, récitant le poème, devant sa glace de la salle de bains, l'œil ourlé de mystère, ma mère descendre sur place ces fleuves-là. J'aime bien quand je me fais penser à Véra. Cela me la rend un peu présente. C'est fou ce que l'on s'ennuie des morts. Je ne me le fais pas dire. Espèce d'imbécile d'ancien complice évanoui, c'est fou ce que je m'ennuie de toi.

J'ai mis le couvert du petit déjeuner pour eux en bas. Je suis brave. On a fait les courses au village, hier. La miche de pain est entière, Pierre pourra y aller des deux mains.

Je n'ai pas envie de voir sa tête à Pierre, ce matin. Pas envie de faire « petite conversation », comme on dit ici, ni d'observer ma fille avec son bestiau à elle. Je descendrai quand ça me plaira, na! Je suis à moi. Comme on est à soi en effet quand il n'y a pas d'homme à protéger, à aimer, à servir. Mais oui, mais oui, cela se passe encore ainsi, même dans les meilleures familles féministes. Et d'ailleurs elles sont repenties pour la plupart, celles-là, le vent a fait demi-tour, on ose moins revendiquer puisque l'on a déjà un peu obtenu. En ce qui me concerne, je n'ai jamais fait partie à bloc de la corporation, enfin pas au point de refuser d'œuvrer dans la cuisine ou ailleurs pour le bien-être de l'autre. Cela m'a toujours semblé normal de faire tout ce que je pouvais pour le compagnon de mon cœur. Même aujourd'hui, inutile de me le cacher, moi qui me suis endurcie, j'en serais capable. Et, parfois, j'aimerais bien un homme que j'aimerais bien, au chaud de mon lit. Je ne suis pas comme ma fille, j'apprécie le corps de l'ami à côté de moi sous les draps. Je vous regrette les uns les autres à l'occasion, sans même m'attarder à faire le détail, mais, le reste du temps, je trouve cela rudement simple, la vie sans vous. On est libre sans vous et je l'ignorais. Je serais morte sans me connaître, Thom, si je ne t'avais pas quitté.

Je suis calée bien confortable, les coudes dans la plume, et je sirote mon thé tiède, en m'amusant à lever mon petit doigt à la façon de miss Collins qui est venue goûter hier sur l'invitation de Valentine, qu'elle continue à appeler *dear child* comme quand celle-ci avait dix ans. Et Valentine aime ça. On aime toujours rester une enfant pour quelqu'un.

Et voici *dear child* justement. Le cou tendu, elle entre dans ma chambre comme on devrait commencer une bataille, l'air vainqueur. Elle referme méticuleusement la porte, pour bien signifier qu'elle n'est pas là pour faire du bruit, et elle s'assoit sur mon lit. Tout cela sans me consulter. Je note qu'il vient un temps où l'on frappe pour entrer chez sa fille mais où elle continue à s'octroyer le privilège de se sentir à jamais chez elle chez vous. Moi, cela ne me gêne pas. J'ai un certain plaisir à être un peu bousculée comme ça, mais ce matin justement, c'était le matin où...

– Tu n'aimes pas Pierre, n'est-ce pas? demande ma fille sévèrement, comme si elle considérait que cette attitude dépasse de loin le stade du péché véniel.

– Qu'est-ce que ça peut faire, ce que je pense? Je suis aimable avec lui, non?

– Ce n'est pas ce que je te demande. Aimes-tu Pierre?

– Pas beaucoup. Enfin, pas pour durer.

Je me redresse sur mes oreillers, parce que ça, en revanche, cela menace de durer. Je la connais quand elle a ces yeux-là. Je nous connais quand on commence. Je m'installe d'une façon un peu plus victorieuse moi aussi. Bien droite, s'il te plaît, Iris-Véronique.

– C'est-à-dire... (Valentine traîne un peu sa phrase) c'est-à-dire que tu ne serais pas contente que je parte en Amérique avec lui.

– J'en serais absolument désolée. (Bon, le moment est venu de produïre mon couplet que j'avais ravalé jusqu'à une date ultérieure qui, j'espérais, n'arriverait pas.) Si tu veux vraiment le savoir, je pense que Pierre n'est pas aussi intelligent que toi, qu'il entrave ta pensée plutôt que de l'épanouir, je le trouve mal élevé, sans manières du cœur, et en plus, au sujet de l'Amérique, je considère qu'on ne s'en va pas quand on a un bon job et sans avoir réglé un problème. Ta situation avec Simon n'est pas réglée. Tu m'as dit toi-même que vous deviez vous retrouver après les vacances et reconsidérer les choses.

– Toi, quand tu es partie de la maison, la situation n'était pas réglée non plus et ça ne t'a pas empêchée de filer, si j'ai bon souvenir. En plus, tu avais un enfant, moi je suis libre.

– La situation était réglée puisque j'avais pris une décision.

– L'Amérique m'aiderait peut-être à prendre la mienne mieux que tu ne le fais.

– En te donnant mon avis, je sers déjà à quelque chose, ne serait-ce qu'à te procurer l'occasion de ne pas en tenir compte.

Je n'aurais pas dû dire cela. C'est une phrase qui ne sert à rien. On est en train de ferrailler dans le vide toutes les deux. Et quand va venir le coup

162

d'estoc? C'est elle qui le portera bien entendu. Je suis l'accusée et je n'ai rien pour ma défense. Peut-être si je lui disais quelque chose comme ça : « Je ne veux pas assurer ma défense. Ce qui est fait est FAIT et j'ai déjà purgé ma peine. Faut-il encore une fois rouvrir le dossier? »

Je me penche vers elle.

– Ecoute!

Valentine ne répond pas. La tête baissée, elle attaque une tache imaginaire sur son jean, l'air découragé par l'ampleur du dégât. L'opération accomplie, elle me regarde. Elle a mis ses yeux froids, ses yeux qui ne font pas de concession.

– Si je pars avec Pierre, je resterai peut-être longtemps là-bas. Il faudrait que tu saches ce que je pense.

Il me semble que je le sais ce qu'elle pense, ce qu'elle ressent; ce mélange d'inévitable tendresse pour la mère que je suis, de facilité à me comprendre dans mes gestes passés et d'amertume remontée à la surface depuis que tu es mort, depuis que plus rien ne peut être changé dans notre vie de famille interrompue, assassinée par moi un jour. Tant que tu étais là, on pouvait encore en espérer la résurrection, les jeux n'étaient pas faits. C'est ta mort qui change tout dans notre vie, Thomas, qui nous déplace comme des pions sans défense sur l'échiquier. Et à cet instant, au bout du lit, ce n'est pas ma fille qui est là devant moi, mais la personne rarement visible, la femme seule, éloignée, pour laquelle il me semble soudain que je ne peux rien. Je baisse les yeux, c'est trop pénible de sentir que l'on ne peut rien, et je laisse tomber une petite phrase sans espoir :

– Alors, dis-moi ce que tu penses.

– Oh! en tout cas... à quoi ça sert?...

Elle fait un geste las et évite mon regard.

Elle aussi est saisie, la chérie, par un pauvre désarroi. On me fait pitié. Nous n'allons peut-être jamais plus pouvoir nous parler, vraiment nous parler. Et cela sera ma condamnation suprême.

Soudain elle fonce :

— Tu m'as mise en pension quand tu es partie.

Elle a repris son air conquérant. Il faut reconnaître que sa flèche a frappé juste et là où je ne m'y attendais pas.

— Comment? C'est toi qui avais choisi d'y aller pour suivre Isabelle.

— Choisi, choisi, c'est vite dit. Avoue, tu m'as poussée sous prétexte qu'il fallait que je redouble ma classe et que... je ne sais plus quoi. Mais ça t'arrangeait, admets-le.

Ma fille a parfaitement raison, ça m'arrangeait, et voilà quelque chose que je suis parvenue à me cacher depuis dix ans. C'était plus facile de te quitter, Thom, de quitter la maison quand elle n'était pas dedans. Cela allégeait mon départ. Ça m'empoisonne d'avoir à le reconnaître.

— C'est vrai, Valentine! C'est possible que ça soit vrai. Mais n'oublie pas non plus qu'à quinze ans c'est assez bon d'avoir l'occasion de se séparer du milieu familial, que votre mère fiche le camp ou non.

J'ajoute en catastrophe avant qu'elle ne me réponde :

— D'ailleurs ton père se disait d'accord aussi pour la pension.

Allez, je te mouille, Thomas, on était deux, ne l'oublions pas. On n'est jamais seul en cause.

— Papa a toujours voulu m'envoyer en pension pour que vous soyez seuls ensemble, mais toi, maman...

164

Elle me lance un regard d'épagneul trahi.

Ça y est, merde, la première larme. Si mes constatations sont exactes, elle est toujours suivie d'une autre. C'est comme les bonnes sœurs, les larmes. Un autre œil de chien battu dans ma direction et je ne pourrai pas me retenir. Je vais me mettre à me tamponner les joues, en mémère qui fait du sentiment pour se faire pardonner. Valentine a la bouche qui descend aussi. Ah! on est chouettes. On fait ce qu'on peut depuis quinze jours pour ne pas pleurer sur toi, on s'arrange pour avoir le chagrin gai et puis un petit reproche de pas grand-chose auquel j'aurais dû très bien savoir faire face – ce n'est pas un crime, quand même, d'envoyer sa fille en pension quand elle travaille mal –, et on vacille toutes les deux. Pourtant, peut-être est-on maintenant parties pour « se dire tout », comme autrefois Véra et moi quand nous avions eu des mots : « Tu viens dans ma chambre ce soir et on se dit tout », annonçait emphatiquement ma mère quand je m'en allais en classe tête basse parce que nous étions en froid. Et j'y pensais plusieurs fois pendant la journée à ce « tout » qui allait nous rapprocher à nouveau.

La voix de Pierre en bas. La grande gueule ingénue de Pierre.

– Titine! TITINE!

Ce qu'il peut m'agacer, ce trouffle, à appeler ma fille comme ça! Nous sommes parvenus, toi et moi, à ne jamais nous servir de cette abréviation et lui, du premier coup, il en fait un mot d'amour et elle le laisse faire, la buse. En plus, il a une voix de pope pour cathédrale orthodoxe. Dans cette chaumière! « Ine... ine... ine... » répètent en écho les pauvres murs.

Et voilà comment on gâche une situation, comment on perd un moment rare qui ne se retrouvera peut-être jamais. Joli travail, l'amant de Titine! Ma fille s'est levée de mon lit au premier signal. Elle claque juste un peu la porte en s'en allant :

– A t' t à l'heure!

Après m'avoir dérangée dans mon nirvāna organisé, elle me laisse au milieu d'une émotion pour aller donner des tartines, titines, à un homme, et je reste là, désemparée par cette empoignade inachevée, le cœur amer et le besoin, le besoin de lui demander pardon sans avoir à faire de détail, un grand pardon pour tout. Oui, c'est ma faute et qu'on n'en parle plus. Je voudrais me demander pardon aussi, ne serait-ce que parce que le moment « paix suprême » que je m'étais promis est brisé, et que je n'ai plus envie de boire mon thé lentement, ni de rester à rêvasser en appréciant par la fenêtre le délicieux paysage merestre, et que je n'ai pas envie non plus de descendre et de les voir tous les deux. Ce qui m'arrangerait, au fond, ce serait de récupérer mes larmes de tout à l'heure. Où êtes-vous, mes belles? Coulez, coulez tant que vous voulez, le champ est libre.

Bon, ça ne marche pas. Ça va être gai si je ne sais même plus pleurer sur commande.

Je ferme les yeux, et je reste à flotter sans raison d'être. C'est ça, je n'ai pas de raison d'être.

« Tiens? Voilà ta lévitation qui recommence », aurait dit Véra. C'est ainsi qu'elle me ramenait sur terre quand je me mettais à gamberger. Mais c'est que je veux gamberger, moi. Aggravons-nous toute la situation, un bon coup, racontons-nous des histoires pires. Valentine et moi, nous ne nous sommes jamais très bien comprises. Cela n'a pas commencé à cause de mon départ, non. Passé la période dodue, physique, de la relation mère-fille, nous avons souvent eu du mal à nous entendre. C'était de ma part une vanité idiote de persister à affirmer : « Oui, oui, ma fille et moi avons de très bons rapports. » Bernique! Cela n'est pas vrai, cela n'a jamais été vrai. D'ailleurs, c'est toi qu'elle a préféré après notre divorce. Et alors tu as fait ce que tu as pu pour aggraver notre éloignement. Une de tes façons de me punir. C'est chez toi, anciennement chez nous, qu'elle a choisi de vivre, c'est à moi qu'elle ne pardonnera jamais.

Que pourrais-je nous dire pour abîmer encore l'histoire? Oh! pas difficile, il y a le choix : je suis seule comme un chien – ma fille ne m'aime pas – mes parents sont morts et toi donc – je n'ai pas tellement de travail pour la rentrée et celui que j'ai a été laissé en plan pour penser à nous du passé – Valentine envisage de quitter Simon que j'aime pour elle, de devenir californienne, de traîner ses savates sur les plages aux basques du barbu chevelu qui l'emmènera là-bas, au lieu de continuer son métier – je ne verrai plus ma fille – je n'embrasserai plus ma fille – j'ai besoin d'argent – il faudrait repeindre l'appartement de Paris et ici la maison s'effrite de partout. Quoi donc encore? L'essentiel. A quoi ça sert, tout? – A rien. – Tout ne sert à rien, voilà! Quelle histoire de fous, la vie! Je pousse encore un peu et je réaliserai que je m'y ennuie, dans la vie. Parfaitement, je m'y emmerde à gueuler. Eh bien, gueule! – Non, ça fatigue. Si j'avais un conseil à me donner, je m'offrirais plutôt une bonne grosse déprime, sans plus attendre. Je ne vois que ça. C'est vrai, c'est toujours les autres qu'on doit plaindre, qu'il faut prendre par la main. Et moi, et moi, ET MOI?

Se retourner du côté du mur et rester dans la même position toute la journée. C'est une solution, ça. Ne pas avoir faim et ne pas répondre au téléphone. Parfait, j'ai un solide emploi du temps.

Ma fille qui ne m'aime pas escalade quatre à quatre les marches. Toujours été impossible de lui faire monter normalement cet escalier.

Tiens? Elle a esquissé un petit coup sur la porte cette fois-ci. Cela confirme mon impression. C'est encore mauvais signe, cela veut dire en effet qu'elle est en train de perdre ses habitudes de confiance avec moi. Je le savais bien.

Elle reste à l'orée de la chambre tandis que je suis en train de mettre à exécution la première partie de mon programme et de m'enfoncer sous mes yeux. Y a personne.

– On va à la plage du Sud, dit-elle avec sa voix des bons jours. (Et où sont passés les autres jours? Où est passé tout à l'heure quand elle ne m'avait jamais aimée?) Tu veux venir?

La momie dans le lit ne bouge pas mais une voix, la mienne présumément, monte des draps.

– J'ai un peu de travail. Mais d'accord, je vous rejoindrai plus tard.

Valentine dévale l'escalier dans l'autre sens.

Je suis seule à nouveau.

Elle est folle ou quoi, la momie dans le lit? « Plus tard? » Je n'ai jamais rien voulu dire de pareil. Les rejoindre quand je suis au milieu de ma dépression nerveuse, ma *nervouse* comme on dit au village pour parler de l'état de la fille du postier, et que je déteste tout le monde et qu'il n'y aurait qu'un geste à faire pour que je me mette aussi dans le lot?

J'entends la grille grincer, ils sont partis.

Indifférence, silence, s'il vous plaît. Je tente de rester immobile. Je ne rouvre pas les yeux.

Qu'est-ce que je m'ennuie maintenant dans ce lit. Encore plus que dans la vie. C'est pas tenable.

Autant se lever. On peut être déprimé à la verticale, désespéré debout. Allez! Pas la peine de me raconter des histoires, il faut se connaître. Ce n'est pas la première fois que je les essaie les mous chagrins invertébrés, mais ils ne sont pas pour moi. Je n'ai pas droit à la *nervouse*, je suis bien la première à le déplorer. Alors debout, ganache, et puisque tu as dit que tu ne les rejoindrais pas tout de suite t'as qu'à te trouver une occupation. Cela ne devrait pas être difficile dans une maison en ruine.

J'ai bien tenu le coup. Je me suis fait semblant d'avoir à ranger d'urgence les tiroirs de ma commode, j'ai pris ma douche et je me suis regardée dans la glace, lucidement, pour voir si je n'étais pas trop laide. Non, pas trop laide. C'est déjà ça. Mais moins jeune, je ne peux pas me le cacher. Et ma nouvelle ride est toujours en place. Heureusement, cela ne coupe pas l'appétit. J'ai avalé un somptueux sandwich au jambon blanc, le jambon auquel on n'a rien fait subir, qui n'a aucune roseur suspecte sur sa tranche, un gros jambon bête qui vient tout droit de la fesse de l'animal et qui sent tout ce que le jambon doit sentir. Nous l'achetons comme autrefois à la ferme à côté. Tu l'aimais bien, Thomas, il n'a pas changé de goût depuis toi. Il est toujours lourd comme une pierre, gras, dense et vrai. Une grosse tranche de ça et puis j'ai mis mon costume de bain et je suis partie rejoindre ma fille. On a déjà vu des mères qui se retournent contre le mur quand leur fille entre dans leur chambre sous prétexte que cette fille leur a dit quelque chose de vrai. Oui, mais se met-elle, rien qu'une fois, sous la peau de la mère, la fille? Accepte-t-elle d'imaginer ce que c'est que d'être en femme, de sentir la jeunesse filer et le cœur qui ne bat plus souvent la chamade et puis se réveiller un matin fougueuse et ardente parce que la vie à nouveau est pleine de raisons d'être, à cause d'un homme? Elle devrait comprendre, la fille. Il lui est arrivé des choses à elle aussi. Oh, ça ne comprend peut-être jamais rien, les filles, ça ne comprendra peut-être jamais...

La plage du Sud, la plage gris perle où le sable est fin, fin comme du sucre glace, est absolument déserte. Il n'y a pas l'ombre d'une fille à moi et à toi sur cette plage-là. Qu'est-ce qu'il a encore été fiche de notre enfant, le Pierre? Non, c'est pas vrai, cette fois-ci il n'est pas coupable. Ils sont là, derrière le rocher « Tête de chien ». Ils grafouillent dans les mares, ils ont l'air de s'amuser. Mais je suis moche, moi, à ne pas pouvoir aimer quelqu'un qui s'amuse tranquillement avec ma fille dans les rochers. Ils se redressent en même temps : ils m'ont vue. Je les trouve beaux, piquetés de sel, les cheveux broussaille, j'admire dans l'absolu leur victorieuse jeunesse. Je serais bien jeune un instant, juste pour me rappeler le goût que ça a. Et je ne me tromperais pas cette fois-ci, c'est promis. Enlevez-moi vingt-cinq ans et vous allez voir ce que je fais du reste.

Pierre a un geste du bras. Il demeure près du rocher tandis que Valentine vient vers moi. Merci bien, Pierre. On s'assied. Chacune, nous avons le même geste. On prend du sable dans nos mains et on le laisse couler en le regardant. Sablier du temps. Temps de silence. Silence en nous, en nous qui voulons nous parler.

Je dis :

– Je t'aime.

Oh! je sais bien, c'est un peu bidon, ça peut paraître comme cela, mais c'est quand même un sésame. Ça commence tout, ce mot-là.

– Moi aussi, idiote, répond Valentine.

Chouette, elle m'injurie.

– Il faut quand même que nous parlions un jour de Thomas, dis-je. Je l'ai toujours aimé, tu sais, même quand je ne l'aimais plus. Ce n'est pas simple mais il me semble que tu pourrais comprendre.

– Oui, je..., dit Valentine.

Et elle dessine des lettres dans le sable. Nos initiales. On y passe tous. Toute sa famille du cœur.

– Il faisait pitié à la fin, soupire-t-elle. C'est mieux qu'il ait filé. J'aurais aimé m'en occuper toute seule avec toi, l'autre savait pas.

– Elle l'aimait à sa façon, il était content qu'elle soit là. Thomas a toujours eu besoin de femmes.

– Elle manquait de douceur.

Comme c'est incongru ce que vient de dire Valentine. Je n'ai pas de réponse. On ne va pas se mettre à tabasser tout le monde. Je ne vais pas dire qu'en effet l'autre ne savait pas redresser ses oreillers, non, je ne vais rien dire sur l'autre, je les garde mes reproches sur l'autre. D'ailleurs, tout est ma faute. Si je ne l'avais pas quitté... Il me l'a dit assez souvent qu'il était devenu aride, qu'il ne savait plus aimer à cause de moi, qu'il s'ennuyait avec l'autre. Cela n'encourage pas à bien retaper les oreillers de savoir que l'on n'est pas appréciée.

– Ton père a eu une belle vie, dis-je. Un peu courte, mais une belle vie. Il a été aimé et il a aimé, il a réussi. Dans l'absolu c'est rassurant, les existences de cette sorte.

– Tu es en train de tout te raconter, hein?

Je remue la tête à peine. Il ne me faut pas bouger car ça recommence : j'ai de l'eau dans les yeux. Connerie d'eau qui revient quand on n'en veut plus. Elle m'aurait tellement rendu service tout à l'heure.

Je ravale en pensant à Véra qui prétendait que de se dire : « Ne fais pas Versailles » suffisait pour chasser les grandes eaux de ses larmes. Ça marche.

— C'est un grand morceau de ma vie, dis-je enfin, toute larme bue, le plus important, le début des choses, mon premier, mon grand amour...

Valentine se dresse, un peu bourrue. Elle ne veut pas faire Versailles non plus.

Elle lève la main en direction de Pierre qui farfouille dans les rochers pour trouver des oursins.

— On va se baigner ?

Nous sommes rentrés tous les trois en partageant le miracle du soir. C'était si beau que je n'en voulais plus à Pierre : il faisait soudain partie du décor. La mer s'était calmée, les champs cahoteux, mal entretenus par les paysans nonchalants et optimistes, avaient leurs herbes trop longues penchées sous la brise, les nuages étaient lents, il ne faisait ni froid ni chaud et je n'étais plus triste, même si je n'étais pas gaie.

— On a envie de t'emmener écouter les ballades au pub d'O'Connor, a dit Valentine après le dîner. Pierre ne les a jamais entendues.

— Quelle bonne idée !

Pierre est assez silencieux. Il n'a pas beaucoup mangé ce soir. Je ne vais tout de même pas me mettre à m'inquiéter pour lui sous prétexte que nous avons partagé un coucher de soleil.

Juste quand nous allions partir, le téléphone. Valentine va répondre puis, avant de continuer la conversation, elle revient pour fermer la porte entre la cuisine et la salle. De quelles oreilles se

172

protège-t-elle? Des miennes ou de celles de Pierre?

J'aime toujours aller chez O'Connor écouter les deux filles du patron. L'une chante, l'autre joue de l'accordéon. Ce sont les stars de Glenmara, le jeudi soir, les stars d'une société archaïque qui se recompose fidèlement selon des rites traditionnels. Chaque âge de la vie y est représenté. Des familles au complet viennent s'amuser là pour le prix d'une Guinness ou deux et chacun ne partira que lorsque O'Connor donnera le signal. Les bébés braillent sur les genoux des grands-parents, les enfants se faufilent sous les tables, les adolescents rougissent entre eux, parfois les femmes ont leur tricot. « Ne perds pas ton temps, Mary, ne perds pas ton temps... » Et les hommes sont immobiles. Leurs casquettes moulées sur la tête, les yeux clairs et fixes, ils bougonnent entre leurs dents les chants nostalgiques de l'Irlande éternelle. De temps en temps, pressé par l'entourage : « Allez, vas-y, Paddy », l'un d'eux finit par se lever et monte sur la scène. Les bras le long du corps, ses grosses mains gourdes de marin à demi ouvertes de chaque côté du pantalon, il entame d'une voix qui parfois se brise une ballade où tout se passe mal sur fond de mort, de famine et d'amour déçu. Oscillant lentement sur les chaises, l'auditoire reprend les refrains en chœur. Une des filles du patron, la jolie, celle qui ne sourit pas lorsqu'elle presse contre son corps fuselé le robuste corps de l'accordéon, l'étirant et le repliant comme si elle faisait un amour triste avec la musique, ne se tourne jamais vers les chanteurs d'occasion. Elle joue sérieusement pour eux l'air qu'ils ont choisi, son regard bleu dans le vide, ses cheveux noirs coulant d'une épaule à l'autre au rythme de sa main agile qui caresse les notes. Et, pendant ce temps-là, sa sœur, celle qui n'est pas jolie mais qui rit sans cesse, en profite pour se pencher vers les tables et échanger en s'esclaffant quelques bribes de conversation avec l'un et l'autre jusqu'au moment où, comme libéré par le gauche et inconscient don de lui-même, le chanteur d'occasion arrête soudain sa mélopée et se mêle à nouveau à la foule qui l'applaudit : « Bravo, Paddy, tu n'as pas perdu ton souffle! » Il y a un vieux que je connais depuis des années, il s'essuie toujours sur la joue une goutte d'eau pudique avec le coin de sa main quand il descend de l'estrade, puis, vite, il va au fond de la salle se commander une consommation. Faut se remettre.

Pierre est allé lui aussi au fond de la salle pour nous chercher à boire. Je me sens mieux quand il n'est pas là. Nous regardons autour de nous, Valentine et moi. On les connaît depuis longtemps nos voisins, mais j'ai toujours un peu honte de moi dans ces réunions. On a beau revenir au pays depuis sa naissance, on a beau avoir une grand-mère née à Cork, on n'appartiendra jamais. On fera tache et les générations qui vous suivent aussi. Je salue quelques personnes, flattée par leur reconnaissance, je souris à des visages familiers. Tiens, voilà Mac Carthy et sa vieille mère qui rit de toute sa bouche sans dents. La femme d'O'Leary lève la main et fait un petit geste dans notre direction. Non, je vois bien, je ne suis pas complètement une touriste, ni Valentine : il y a là des jeunes gens, des jeunes filles avec lesquels elle a joué sur la grève quinze ans plus tôt et qui viennent s'entretenir avec elle gaiement : « Oh! Valentaïne! » Mais tout de même nous restons un corps étranger et cela me dérange.

Pierre n'était jamais venu ici. Il tourne les yeux autour de lui sans rien dire.

– C'est formidable cet endroit, tu ne trouves pas? lui demande Valentine.

Pierre gargouille un oui bougon. Il a l'air de mauvaise humeur. Je commence à être sûre qu'elle ne part pas avec lui demain. Elle n'a peut-être même jamais eu envie de partir mais il fallait se trouver une coupable : les mères sont faites pour ça.

Je propose un autre irish coffee.

Nous sommes tous les trois un peu saouls de bruit, de fumée et d'alcool quand nous rentrons à Glenmara.

– Pierre s'en va demain matin très tôt, annonce Valentine au moment de se coucher. Tu veux lui dire au revoir ce soir?

– Au revoir, Pierre.

Oui, au revoir, Pierre, mais tout de même je me lèverai demain matin. J'aime mieux vérifier par moi-même qu'il est vraiment, vraiment parti.

Un peu plus tard, je suis dans mon lit, Valentine passe son nez par la porte.

– C'était Simon au téléphone tout à l'heure. Il va bien.

Je dis :

– Je suis contente que tu restes.

– Moi aussi, ma-man!

Ma fille n'est pas partie avec Pierre, comme, longtemps avant, sa mère, en définitive, n'était pas partie avec Jean.

Pourtant, quand nous avons été à Cannes pour la dernière fois, je ne pensais qu'à lui. J'étais insensible et aveugle au reste du monde. Je me souviens à quel point j'avais été étonnée quand j'ai compris, trois jours après mon arrivée, que la vigne vierge avait été rasée sur le flanc de la maison de Christine. Comme lorsque l'on regarde quelqu'un et que l'on se dit : « Tiens? elle s'était donc coupé les cheveux! » je n'avais rien vu. J'étais ailleurs. Et pourtant je l'aimais, cette maison. Mais j'étais devenue insensible à son sort. Toi, t'en étais-tu séparé aussi? En tout cas, tu avais décidé de la vendre, tu l'avais mise entre les mains d'une agence et tu voulais emmener certains meubles et ranger les affaires de ta mère. En fait, tu ne supportais pas cet endroit depuis que Christine n'y laissait plus errer son âme. Avant tous nos déménagements du cœur, quand nous faisions encore *un*, j'avais proposé de reprendre la propriété en main, sans la changer bien sûr – aurait-on jamais eu envie de changer un lieu inventé par Christine? Tu n'avais pas voulu. C'était votre maison à ta mère et à toi. Je me devais d'y demeurer un peu une étrangère. Tu étais jaloux même des lieux et tu n'as jamais aimé mélanger les genres, Thom. Je crois que j'avais été un peu blessée, à l'époque, que tu préfères voir crouler l'édifice plutôt que de me le confier. Mais c'était plus qu'un édifice, c'était ta mère et, dans un sens, tout en appréciant le fait que nous nous aimions elle et moi, tu voulais dès le début nous posséder à part entière mais séparément. Tu nous aurais préférées un peu ennemies, vilain loup. Cela te dérangeait cette intimité, cette fusion qui risquait de te léser de quelque chose de l'une ou de l'autre. Et, après la mort de Christine, le sentiment subsistait. Même l'argument avancé par moi à l'époque : « Jonas et Valentine ont des souvenirs là, il faut respecter le creuset des souvenirs » n'avait pas faibli ta décision. Jonas, disais-tu, était sur le point de partir pour l'Amérique travailler dans ton bureau d'affaires là-bas et, quant à Valentine, dès qu'il s'agissait de choisir un lieu de vacances, elle optait toujours pour Glenmara. Doucement, cette maison s'était désaffectée en attendant ton couperet final. Nous y retournions rarement, les objets et les souvenirs étaient dans la naphtaline, elle était abandonnée et, moi qui me préparais à t'abandonner, j'en avais encore plus cruellement conscience.

Le dernier matin, quand tout avait été réglé, tu avais annoncé que tu allais voir où en étaient les rosiers : un de tes grands plaisirs là-bas, la roseraie de Christine. Je m'étais promenée seule dans le beau jardin dorénavant trop touffu – le jardinier se faisait vieux – où nous nous étions si tendrement serrés les soirs d'été de notre amour, vingt ans plus tôt. Les soirs d'été que, ce matin-là, j'oubliais sans effort, tout emportée par l'enthousiasme qui me menait vers Jean. Egoïste et cruelle comme une femme qui aime à neuf, j'avais été faire mes ultimes dévotions à une petite statue d'Eros cachée dans un recoin de la grande allée, là où ta mère s'amusait à se rendre pour demander des faveurs au dieu des dieux. Elle coupait des fleurs fraîches qu'elle posait sur le socle et parfois, affirmant que l'amour est âpre au gain, elle joignait en offrande quelques pièces de monnaie dont, elle le savait, Jonas ou Valentine allaient subrepticement profiter.

L'écho toujours délicieux du souvenir de Christine, l'évocation douce de tout ce qu'elle avait été pour moi, mêlés à la fraîcheur du sentiment nouveau qui m'habitait et ce qu'il apportait de force sauvage et d'inconscience d'autrui, me faisaient osciller entre la peine et la joie. J'étais troublée malgré moi par la certitude amère de ma trahison future. Sans me presser, je marchais sur le chemin qui menait à la maison, t'ayant comme oublié. Et puis, je t'ai aperçu, Thom : une vision paisible, un homme dans un jardin, avec un long tablier, en train de vaporiser des rosiers, et tout ce qu'une femme avait décidé était à reconsidérer. Je me suis arrêtée, pétrifiée, désolée de t'avoir vu. Nos routes, à ce moment-là, n'auraient pas dû se croiser. C'était une erreur d'aiguillage. Je suis partie dans l'autre sens. C'est peut-être à cet instant que notre séparation a eu lieu. Mais, le lendemain soir, il a fallu jouer la scène jusqu'au bout. Nous venions de rentrer de Cannes. Nous étions en train d'avaler un croque-monsieur dans un bar sombre pas très loin de ton bureau, au coin de la rue de Castiglione et de la rue de la Paix. Nous avions l'habitude de nous retrouver souvent à cet endroit, une petite pièce feutrée où l'on parlait à voix basse. Les clients étaient des habitués élégants et discrets qui se faisaient de légers signes de connivence d'une table à l'autre. C'est toi qui avais choisi d'aller là après le voyage. Peut-être savais-tu ce que j'avais l'intention de t'apprendre et il t'a semblé que, dans un lieu si familier où erraient tant d'agréables souvenirs, je n'oserais pas, je repousserais le moment de l'annonce faite au mari ?

J'ai osé.

Je n'aurais pas dû ce soir-là, comme cela, tout de

suite après notre retour. Nous avions conduit toute la journée, tu étais harassé d'une mélancolie tardive, et dont tu t'appliquais à te masquer l'ampleur une fois fermée la porte de la maison de Cannes, la page tournée. J'ai été sans pitié et sans merci. Car je n'avais ni pitié ni merci en moi. Je ne m'en félicite pas, Thom. On se demande parfois comment on a pu être aussi dur. Mais c'est ainsi. Je ne pensais pas à ton chagrin, je ne pensais pas à notre vie commune, à tout ce que nous avions tissé ensemble. Je ne pensais qu'à moi, Thom, à moi de demain.

— Je suis décidée, ai-je dit. On se sépare, je te quitte.

Tu avais le menton dans la main, ton verre était presque vide, tu venais de faire signe qu'on t'apporte à boire. Tu es resté dans la même position sans rien dire, jusqu'à ce que le garçon dépose un autre verre de vin devant toi, essuyant au passage quelques miettes que nous avions laissées tomber sur la table. Et, quand le serveur fut parti, tu as seulement levé les yeux et tu m'as regardée sans remuer ta bouche sinueuse, qui savait si bien être mi-triste mi-gaie, une bouche amère avec ironie, et tu n'as rien dit. Le silence dérange le coupable. Je ne savais que faire. Je tapotais le napperon de paille tressée devant moi. J'attendais. Et tu continuais à fixer tes yeux sur moi. Un instant plus tôt, ils avaient été langoureux. Maintenant ils devenaient glacés. Valentine partage avec toi cette façon d'allumer ou d'éteindre son regard.

— Nous ne sommes plus heureux ensemble, ai-je enfin ajouté.

— C'est toi qui n'es plus heureuse avec moi.

— Peut-être, mais ça revient au même.

— Et tu ne veux même pas faire un effort pour changer cela?

– Je ne t'aime plus.

Oh! quelle folie, comme si cela avait été vrai un jour que je ne t'aimais plus, Thomas. J'aurais dû dire : « Je ne te veux plus. Je ne peux pas te voir. Je ne te supporte plus. Nous nous détruisons mutuellement. » Peut-être aurais-je même dû parler de Jean? Mais j'ai dit : je ne t'aime plus. Et j'ai attendu sans souffrance que tu reçoives ma flèche, que tu l'arraches de toi-même et que tu sois là devant moi, le cœur sanglant et abandonné, sans, pour la première fois de ma vie, que j'en vacille d'émotion.

Heureusement – et j'ai quand même pris le temps de t'admirer au passage –, heureusement, tu as toujours été en acier très trempé et tu as toujours su être avec les gens comme tu savais être avec les lieux : en un instant désaffecté. D'un coup, le rideau tombait, le loquet était mis sur la porte. Ça m'arrangeait ce soir-là mais je considère tout de même que tu as eu tort. Il faut toujours savoir être triste quand on est triste.

Tu es devenu de glace : une machine à compter et à computer.

– Où iras-tu, ma pauvre? Tu n'as nulle part où aller. Et ne crois pas que je vais t'aider à me quitter.

– Quand Valentine sera rentrée en pension, j'irai à l'hôtel. Je suis en train de chercher un appartement.

Il ne t'est même pas venu à l'idée, tu n'as pas voulu imaginer qu'il y avait peut-être un homme qui accepterait de m'accueillir.

– Tu n'as pas d'argent, as-tu ajouté.

– Si! Quand même, j'en ai mis un peu de côté depuis que je travaille et je vais vendre le petit tableau de Marie Laurencin que ma marraine m'a laissé.

– Le petit tableau rose? Tu es folle.

– Toi, tu vends bien des choses laissées par ta mère.

– Ne parle pas de ma mère.

Ça y est, tu me reprenais Christine. Puisque je disais ne plus t'aimer, je n'avais pas le droit de l'aimer non plus.

Tu as annoncé sévèrement, comme si j'avais une maladie contagieuse dont il était de ton devoir de protéger ta fille :

– En tout cas, je veux Valentine avec moi.

– Tiens? C'est bien la première fois. J'ai passé son enfance à t'empêcher de la mettre en pension. Mais, quoi qu'il en soit, ce n'est pas nous, c'est elle qui décidera. Où que j'aille, elle aura sa chambre.

– Et tu peux abandonner ta fille comme ça? Sous prétexte que tu ne t'amuses plus avec moi?

Je te promets, ce sont des choses comme celles-là que l'on s'est dites. Des sales choses banales que remuent tous ceux qui se séparent avant d'atteindre la sordide froideur finale. Nous avons parlé longtemps et en vain, abandonnant la nourriture dans nos assiettes. Puis tu t'es levé, tu as lancé sur la table l'argent de notre repas inachevé, tu m'as poussée dans la porte et tu t'es mis à marcher pour rentrer chez nous, chez toi, en traînant les pieds de la négligente et séduisante façon qui était tienne. Mais je n'étais plus séductible. Est-il possible de s'aimer moins que nous ne le faisons? me disais-je. Peut-on être plus éloigné l'un de l'autre? De me répondre par la négative me soulageait.

Nous avons dormi dans le même lit. Qu'est-ce qu'on peut faire d'autre? Tout le monde n'est pas aménagé pour le dissentiment. Ce fut la première d'une série de ces horribles nuits froides où l'on évite de rencontrer l'orteil du voisin, où chaque frôlement involontaire provoque une étincelle de recul. Ces sales longues nuits où l'on aimerait seulement être ailleurs avec un autre.

Le lendemain, c'était le dernier week-end avant le retour de Valentine. « Je m'en vais à la campagne », ai-je dit. Tu ne m'as pas demandé où et, manque de bol, il n'y avait pas de jeune fille au pair à la maison. Tu vois comme je ne l'oublie pas, celle-là.

Nous avons passé deux jours charmants avec Jean. Deux jours légers pendant lesquels je t'ai réduit à l'état de rien. Un Indien Jivaro n'aurait pas fait mieux avec un crâne. Je n'ai même pas évoqué les problèmes auxquels j'étais menacée d'avoir à faire face. Le *problème*, plutôt. Celui du fric.

On était riches quand je t'ai quitté. Enfin, encore plus riches. « On » : toi. Et moi, d'un coup, je suis devenue toute pauvre. Tu croyais que cela m'accablerait, n'est-ce pas? Eh bien, non! On n'est pas la fille de Victor et Véra pour rien. L'argent n'a jamais mené ma vie. Enfin, tu aurais dû le savoir.

J'ai trouvé un appartement charmant et modeste, mais dont les proportions justes me tenaient lieu de luxe. J'avais choisi Montparnasse, parce que Jean, qui avait déménagé récemment, n'était pas loin, à une rue de moi, et puis surtout parce que c'était notre univers à Victor-Véra et moi. Ils n'habitaient plus là mais, pour moi, notre passé flottait amicalement dans les rues alentour. J'ai dû vendre comme prévu le Marie Laurencin : une jeune fille avec une couronne de Fête-Dieu, serrant une colombe rose contre sa robe d'un rose plus sombre que barrait une écharpe bleue qui s'envolait comme hors du tableau. Je ne l'ai pas regretté du tout sur le moment. C'est seulement maintenant que j'y pense avec nostalgie. Ce que l'on a abandonné ainsi continue sans fin à vous tarauder le souvenir.

J'ai fait pire, Thom, et je ne te l'ai jamais dit. J'ai vendu le dessin de Rodin. Celui que tu m'avais donné. Enfin le seul, *le* dessin de Rodin. La femme à sa toilette, penchée en avant, sa croupe voluptueuse à peine colorée d'un coup d'eau roussie. Un soir, quelque temps après que je t'eus quitté, quand tu recommençais juste à accepter de me revoir, nous avions décidé d'aller chercher Valentine ensemble à la gare. Elle revenait des sports d'hiver. Tu m'avais invitée, avant, à dîner dans ce restaurant épouvantablement cher, et « nouvelle cuisine », qui est au bout de ma rue. On y distillait le genre de bouffe prétentieuse et insipide, comme toute la nouvelle cuisine l'est à mes papilles, avec ses « flocons » de poissons en quinconce – leur vocabulaire est à gerber – sur fond de sorbet de légumes et de chiffonnades de sauces, que je ne mange que du bout des dents. J'avais accepté ton choix. D'abord je ne pouvais pas prétendre t'imposer mes goûts et, en plus, je n'aurais jamais été là sans toi. Mes amis du moment, et mon amant en tête, n'avaient pas assez d'argent pour se payer ces parcelles distinguées. Après le dîner, je t'avais plus ou moins supplié de venir chez moi. Je voulais que tu constates que je vivais dans un vrai endroit avec un toit au-dessus de la tête. Tu avais l'air de douter que cela fût possible sans ton aide et surtout que ce fût joli, même si l'escalier était miteux : ce qui bien entendu t'a choqué, mais moi je n'ai jamais craint l'escalier miroton.

A peine es-tu arrivé, tu as dit :

– Où est le petit Rodin ?

Je t'ai menti, Thom. Je t'ai raconté qu'il était chez l'encadreur, parce que je le voulais plus... et moins..., pour aller avec l'appartement... Pas vrai. Je l'avais vendu.

Toute ma vie j'ai désiré un dessin de Rodin. De ces dessins à trait unique, où court ce peu d'aquarelle lancée avec une savante négligence sur un coin de cuisse ronde, sur une mèche de cheveux. Toute ma vie j'ai rêvé de caresser une vision comme celle-là du regard quand je me levais le matin, ou le soir en rentrant fatiguée. « Eh, bonjour, petit dessin de Rodin. Quel bien vous me faites. Merci d'être là, immortellement beau. » Tu me l'avais donné un ou deux ans avant. Ce fut pour moi une joie éphémère et l'un des prix de mon départ, Thom. Je dois t'avouer que ce n'est pas des moindres. Le petit Rodin perdu me fait des reproches à jamais. J'aimerais avoir sa trace sur le mur pour pouvoir le dessiner avec les yeux du souvenir. Enfin, soyons honnête, j'aimerais terriblement ne pas l'avoir vendu.

Si tu m'avais fourgué un peu d'argent, ç'aurait été mieux, tu ne trouves pas? Mais tu as été formel :

– Tu me brises le cœur, tu ne me briseras pas le porte-monnaie.

Brise le cœur, brise le cœur, je veux bien. Tu me l'as répété, tu me l'as écrit dans un flot de lettres après mon départ, mais je me demande quelquefois... N'avais-tu pas un certain plaisir, au début, à te retrouver malheureux, abandonné peut-être, mais libre, gandin comme autrefois, séducteur sans remords? N'éprouvais-tu pas ce que j'éprouvais, moi, comme un soulagement de ne plus aimer « comme ça », de cette exténuante façon qui nous avait tenus en haleine si longtemps? Depuis le temps, depuis le temps que nous étions serrés, Thom, ça use.

En tous les cas, tu n'as pas mis longtemps à être crocheté et tu t'es laissé attraper. Tu as bien fait. Cela m'a beaucoup soulagée à l'époque. Tu as rencontré Maîtresse d'après, à un réveillon, quelques mois plus tard. Et tout de suite, paraît-il, elle t'a joué le grand jeu. C'était flagrant la façon dont elle s'était donné du mal pour te plaire. Notre amie commune Nicole, qui était là ce soir-là, s'est empressée de m'en offrir l'information détaillée, le lendemain matin, en même temps que ses vœux sincères.

Elle était jolie, Maîtresse d'après, elle est jolie. Nettement plus jeune que toi et même que moi. Il y avait vingt ans d'écart entre vous, n'est-ce pas? Divorcée, sans enfant et avec un de ces jobs qui n'ont pas de nom, dans un bureau. Mon beau, mon riche, mon grand, c'était le pied de te décrocher. Oh! je ne sais pourquoi j'emploie des expressions comme celle-là, « c'était le pied », puisque je les déteste. Mais je parie que Maîtresse d'après parle de cette façon. Elle avait envie d'entrer dans une bonne case, d'être « Madame Quelqu'un de bien », Maîtresse d'après. Tu as résisté à ses appels. Alors, pour ne pas tout perdre, elle s'est accroché ton nom au bout du sien quand elle était avec toi. « Ça facilite », disait-elle à Valentine. Il paraît qu'elle continue. Inconséquence des êtres, elle est membre d'une association féministe.

C'est au moment où elle est venue s'installer « à la maison » que les choses n'ont plus tourné rond avec Valentine. Elle me l'a raconté. Tu avais juré à ta fille, après mon départ, de ne jamais habiter de nouveau avec une femme. Promesse de Gascon et parole d'homme, Thom, c'était bien présomptueux de ta part, cet engagement. Quand Valentine est rentrée de ses vacances de Pâques à Glenmara, Maîtresse d'après était assise « sur ta chaise rose, maman ». Pourquoi pas? J'avais laissé ma chaise derrière, je n'avais aucune raison de lui en vouloir à Maîtresse d'après de poser son cul dessus. Elle ne m'avait rien volé. Elle ne m'avait fait aucun mal. Si ce n'est quand elle s'est mise à ne pas supporter Valentine; à être jalouse et à essayer de t'éloigner d'elle. Elle avait commencé à faire cela en sourdine, mais le ton a vite monté. C'est incroyable, voyant comme vous étiez proches toi et ta fille, qu'elle se soit ainsi acharnée. Elle n'avait tout de même pas la présomption de briser tout ça? Pas assez forte, la Souris. (Si, si, elle a l'air d'une souris, mais c'est joli une souris.)

Bizarrement, celle que la Souris détestait entre toutes, bien plus encore que Valentine, c'était la mère de Valentine. Va savoir pourquoi. Moi qui lui avais laissé la place – et la chaise – (ah! j'oubliais, et l'homme), moi qui ne la connaissais pas, qui ne l'avais jamais vue, qui ne l'ai rencontrée que bien plus tard à ton chevet, chéri mon Thom, au début de ta sale maladie, moi qui voulais bien l'aimer un peu et même plus.

Une erreur d'aiguillage ou un jeu de ta part, la « rencontre au pied du lit »?

Il faut avouer qu'à notre premier contact je ne l'ai pas aimée un brin, la Souris. Etait-elle mieux quand je n'étais pas dans le coin? Etait-ce pour me faire constater d'emblée sa prise de position, pour affirmer un pouvoir sur toi (c'est facile avec un pauvre malade rempli de tuyaux) qu'elle se livrait à ces misérables simagrées? Mutine à l'excès, elle ne te traitait pas comme un homme debout, ce qu'il faudrait toujours tenter de faire avec un homme couché, pas comme un homme du tout en fait, plutôt comme un toutou, un caniche frisé « guili-guili » auquel on fait des papouilles pour qu'il reste sur le dos. Elle glissait et reglissait la main sous ta veste de pyjama pour prouver qu'elle était bien la maîtresse de ce chien-chien-là, la propriétaire tous titres de ce pauvre petit torse amaigri qui était dorénavant le tien, toi qui avais eu de si belles épaules, Thomas, si belles...

Bien sûr, elle était séduisante, Maîtresse d'après, juchée sur ses talons pointus, avec sa frimoussette pointue aussi, mais elle était ridicule dans son comportement et son ajustement. Le genre de créature tout cuir, sanglée pleine peau du sein aux genoux : « Je suis un emblème sexuel, moi, Môssieu et que ça se sache au premier coup d'œil », qu'une femme a du mal à digérer crue.

Et moi, pas en cuir pour deux sous, moi « première épouse » comme dans *Le roi se meurt* de Ionesco, avec mes talons bottier et ma robe bleu-ciel-vieille-jeune-fille, moi tremblante de mélancolie, dans ma violente solitude, j'étais plantée là, accablée sous mon demi-sourire niais et n'osant même pas laisser ma main sur la tienne quand Maîtresse d'après est entrée dans son fief, je veux dire dans ta chambre à la clinique. Coupable à ses yeux d'avoir répondu à ton appel et te respectant trop pour te faire des coucou dans le cou, je sentais l'ancien amour inutile s'emparer à nouveau de moi et me donner un tel chagrin, un tel chagrin, dont, je le savais déjà, je ne me consolerais pas.

Ah! comme j'aurais aimé l'aimer au premier coup d'œil, Maîtresse d'après, nous sentir deux sans médiocrité. Il n'y avait plus le temps pour la médiocrité, Thom, tu allais mourir. Ces certitudes-là devraient ennoblir les survivants. Pourquoi n'ai-je pas su parler à Maîtresse d'après? Pourquoi n'ai-je pas pu lui transmettre le message de notre inévitable complicité? Il me semble que, dans les moments graves, cela devrait rapprocher d'avoir aimé le même homme, de connaître sa tête dans l'amour et dans la joie, et dans la peine le creux de ses bras et ses sautes d'humeur... Il me semble qu'on aurait dû... Cela avait été facile avec Maîtresse d'avant, celle à laquelle tu devais ces fameux « malheurs » quand je t'avais vu pour la première fois à Londres et que vous veniez d'un commun accord de décider de vous séparer. Je me souviens exactement de la rencontre après notre mariage. Je l'ai admirée tout de suite. Elle était belle et bonne. Il me semblait qu'elle pourrait m'apprendre quelque chose. Elle m'a bien aimée aussi, j'en suis sûre, elle te l'a dit d'ailleurs. Vous voyez, Femme d'après moi, cela aurait été possible!... Tu vois, Thom... Mais ce jour-là auprès de ton lit, ce qui la préoccupait, Femme d'après, aveugle à ton état, c'était « que tu te remettes bien vite mon Loulou » (non, n'exagérons pas, je ne crois pas qu'elle t'appelait mon gros Loulou, je fais preuve là de la plus saine vilenie fumelle), rectification : « que tu te remettes bien vite, mon chéri, pour qu'on puisse prendre nos petites vacances aux Caraïbes ». Un temps de silence avec coup d'œil significatif vers Première Epouse : « Je parie qu'il ne vous a jamais emmenée aux Caraïbes? » (Exact.) « Je t'ai acheté une jolie chemise fantaisie. » Coup de menton vers Première Epouse : « Il ne vous laissait pas choisir, moi je peux! » (Exact.) Tu as toujours, de mon temps et avant celui-ci, été habillé pareil et magnifiquement. En seigneur qui ne change pas d'emblème, tu t'es fait refaire dix fois le même costume au travers de la vie, acheté les mêmes cravates, les mêmes chemises chez les plus grands tailleurs qui aimaient ton élégance naturelle, cette grâce que tu donnais aux vêtements par la forme même de ton corps. A la fin, cédant à l'impératif catégorique avancé par Maîtresse d'après – « ça fait vieux » –, tu te laissais parfois, sous prétexte de t'enlever des années, déguiser en jeune daim goût du jour, et cela te donnait un triste air de gigolo tardif qui nous blessait, Valentine et moi, comme si tu te trahissais en bout de parcours. Je ne pouvais quand même pas te le dire à l'époque, cela me soulage de le faire aujourd'hui, on n'en parlera plus, je te promets.

« Bleu et orange, ta chemise, s'obstinait Maîtresse d'après, ça fera très bien quand tu seras bronzé. »

Pauvre Souris, elle ne les a pas eues, ses Caraïbes.

C'est dommage, Thom, tu aurais dû être plus circonspect en choisissant certaines de tes femmes. Je ne parle pas de moi, naturellement.

Je considère que j'avais mieux choisi. Jean était quelqu'un de bien. Non, non, je n'ai pas l'intention non plus de m'étendre sur lui, on en dira le moins possible, il faut juste ne pas lui faire la part mauvaise. Deux, trois petites choses et puis on tourne la page.

Bon, il faut l'avouer, il était charmant : facile à vivre et enthousiaste tout plein, d'une spontanéité joyeuse qui te rendait vieux en comparaison, jeune homme de mon passé. Jean, il était toujours prêt à faire quelque chose, à aller quelque part. Il avait des idées pour distraire. Il arrivait avec son gentil air de musicien dans la lune et disait : « Tu avais envie de voir ça, j'ai pris des places. » Ou bien : « Il fait beau, on part à Honfleur. – Tout de suite ? – Oui, tout de suite. Tu devrais toujours avoir une valise de prête. » La vie était piquante et c'était très reposant qu'elle ne soit pas si passionnelle, comme nous nous l'étions fabriquée, toi et moi, Thomas, quand nous nous aimions jusqu'au fond de nous-mêmes. Oui, j'aimais dorénavant aimer différemment. Tendre et léger comme Jean, avec des petits mots, des bouquets de fleurs, des mains glissées sur la vôtre juste au moment où la mélancolie affleure. Pas d'emphase affective, pas d'excès, un calme qui n'était pas plat. Je ne sais pas si Jean était un homme à femmes, mais c'était un homme-femme, et l'espèce est délicieuse.

C'est étonnant que tu n'aies jamais soupçonné son existence, que tu te sois acharné à ignorer cet être qui était dans ma vie, jusqu'à ce que je t'en parle moi-même, quand tu avais été crocheté par Maîtresse d'après et que je te sentais moins vulnérable. Tu me demandais avec une ironie sardonique, au début de notre séparation, si cela ne me manquait pas de vivre en bonne sœur, et j'avais tellement peur de ta réaction que je jouais ton jeu. Non, je ne souffrais pas d'être une bonne sœur, qu'il soit bien entendu que je n'avais plus de corps, plus d'existence puisque je ne partageais pas la tienne.

Il fallait bien que je te mente, Thom. Admets-le, tu n'étais pas quelqu'un auquel on pouvait toujours dire la vérité. Il y avait des instants où je pensais que tu étais capable même de me tuer. Un jour, je me souviens, peu de temps après que je t'eus annoncé mon intention de départ, tu as placé – j'étais devant la coiffeuse que m'avait donnée Christine – tes deux mains autour de mon cou, et tu as serré. J'ai continué à sourire en mettant mon rouge à lèvres, mais si j'avais crié, Thom, aurais-tu serré plus fort encore plutôt que d'avoir à constater que ta proie bientôt t'aurait échappé, que la chose que tu t'étais toujours refusé à imaginer venait d'arriver? Tu n'avais jamais trouvé cela plausible que je puisse te quitter. En fait, tu avais raison, je ne t'ai pas quittté, Thom, et je t'en offre la preuve par cette promenade intérieure à laquelle je ne peux échapper, ce dialogue avec le mort qui fut longtemps ma vie. Et sais-tu que mon amour de Jean, ce jeune et joyeux sentiment qui m'a rendu tellement service, mon amour de Jean est mort en même temps que toi? C'est idiot, je n'ai même plus envie de le voir. Je te tiens pour responsable de cet état de choses, là où tu es, de ce pouvoir que tu as exercé sur moi, même à distance, cette mainmise sans mon consentement qui a continué à se faire sentir et, à mon insu, a changé le cours de mon destin. Non, ne me fais pas croire que tu n'y es pour rien, Thom. Et même en ce qui concerne les filles de Jean... C'est avec ton œil que je les ai regardées, c'est avec ton échelle des valeurs que je les ai jaugées. J'avais peut-être laissé mes chandeliers d'argent derrière, en m'en allant, mais j'avais emporté quelques-uns de tes caractères qui étaient devenus miens en chemin.

Jean et moi ne vivions pas ensemble mais nous nous voyions chaque jour, sauf certaines fins de semaine qu'il passait avec ses filles. Valentine était souvent avec moi à ce moment-là, on était bien chacun de notre côté. Mais Jean m'affirmait que c'était provisoire. Dès mon divorce, nous allions vivre ensemble. Je savais que j'aimais vivre à deux et, même quand je t'ai quitté, l'idée de la solitude m'effrayait de prime abord. Et puis, et cela n'a pas manqué de m'étonner, j'y ai pris goût. Sur ce point, ton pouvoir peut être considéré comme nul et non avenu. Il m'a vite semblé que de n'avoir souvent que soi dans son lit n'était pas une catastrophe mais une liberté. Moi qui avais été comme un coquillage sur un rocher, Thom, au temps de nous, qui ne pouvais m'endormir au début de notre vie commune sans avoir un pied, une main, un coude, un morceau de l'un contre l'autre, j'aime, je le sais maintenant, me posséder moi-même en priorité, me mettre en travers de la couche, m'endormir, me réveiller à mon goût, allumer au milieu de la nuit, regarder autour de moi et me dire : « C'est vrai, Virginia Woolf avait raison, une chambre à soi... » Cette découverte a été suivie par beaucoup d'autres. J'ai mis longtemps à me connaître et Jean m'a aidée dans ce processus.

C'est bizarre, les choses avec lui ont commencé à se gâter au moment le moins prévisible. Il insistait qu'il était grand temps que je connaisse enfin ses filles. Elles m'aimeraient beaucoup... Je les aimerais beaucoup... On s'entendrait très bien toutes les trois... Pourquoi pas en effet? Moi qui avais toujours voulu plein d'enfants, deux filles de plus, j'avais la place. Nous convînmes d'un week-end.

Lorsqu'il faisait beau, Jean allait passer les fins de semaine dans la maison qu'il avait héritée de ses parents en Basse-Normandie et que curieusement, disons plutôt gentiment, il laissait de temps en temps à son ex-femme. Elle y venait pour les vacances scolaires avec ses enfants, et même avec un amant, je crois. C'était assez amical, cet arrangement; mais naturellement, comme souvent les combinaisons affectives des autres ont tendance à le faire, cela me paraissait saugrenu. Je me voyais mal pour ma part aller passer un mois à Cannes, si Cannes il y avait encore eu, et y inviter mon amant du jour. D'autant qu'il ne restait pas entre Jean et son « ancienne » ce lénifiant souvenir d'une passion longtemps partagée. Mais le côté « brave camarade » et résolument d'aujourd'hui ravissait Jean. Il répétait souvent, comme pour bien s'en persuader : « On ne s'entend plus, Mireille et moi, mais il n'empêche, nous sommes *good sport*. » Bon, va pour *good sport* et pour suivre Jean dans sa maison de famille. Quand on est un peu, beaucoup amoureux, on en arrive à trouver n'importe quoi plausible.

Alors, une fois bien séparée de toi, Thom, bien installée dans mon appartement, bien à moi de partout et amoureuse en prime, j'ai enfin accepté d'aller avec celui que je croyais être mon futur mari et de rencontrer mes futures belles-filles. Nous avons déjeuné ensemble dans une auberge sur la route de Normandie. Il faisait bleu pâle et délicieusement frais, nous nous sentions légers et sans passé et nous nous appliquions à fabriquer le présent avant d'arriver à destination : un monde idyllique où nos trois filles, conçues sans passé elles aussi, allaient s'entendre et partager dorénavant sous le toit de la maison de Jean des vacances de sœurs qui se seraient choisies.

A l'heure douce où le vent tombe, à l'automne, au bord de la mer, nous sommes arrivés chez Jean. Enfin, pour être exacte, je devrais dire : chez Jean et l'ancienne femme de Jean et les parents et les enfants de Jean. Nous sommes arrivés chez d'autres qui n'étaient pas de ma famille. La maison s'appelait « La Bretonnière ». Moi, je l'aurais plutôt nommée « La Bétonnière », cette baraque entourée d'un maigre jardin où un grand nombre de fleurs que j'aimais le moins, les idiots glaïeuls en tête, se disputaient la faveur des plates-bandes. Avec son faux air de notabilité cossue, cette Bétonnière était carrée et sans grâce. Avouons-le tout de suite, les filles de Jean, qui nous avaient précédés dans la place, n'en avaient pas beaucoup non plus. Campées résolument dans leur mauvais âge : l'une quinze ans de rogne muette et l'autre dix-sept ans de certitudes méprisantes, elles me dévisageaient sur le pas de la porte, sans faire preuve de l'indulgente curiosité à laquelle leur père m'avait préparée. « Qu'est-ce que c'est que celle-là? disait leur regard. On n'a rien à en faire, en tout cas. »

Faut se mettre à leur place, j'avais beau avoir vingt ans de plus qu'elles, j'étais encore en femme et en chair, c'est la dernière chose que l'on veut voir à côté de son père à ces âges-là.

Elles ont trouvé d'emblée, sans me faire, par égard pour leur père, bénéficier d'un quelconque examen de rattrapage, qu'il n'y avait pas de place pour moi à Château-Béton. Je me suis assez rapidement ralliée à leur avis.

Un peu inquiet de la tournure que prenaient les choses et les visages que se composaient ses filles, mais vaillant, Jean se distribuait des unes à l'autre avec son habituel charme gai, auquel s'ajoutaient une bonne grâce un peu molle, une sorte d'humilité dans le comportement, qui me déplaisaient. Tout ce qu'il m'avait montré jusqu'alors de léger et de farfelu, de non convenu, retombait comme du plomb à Château-Béton. Sa bonne volonté increvable devenait irritante tandis que sa pauvre timidité devant ses filles faisait pitié. Mais je n'étais pas là pour le plaindre, j'étais venue là pour l'aimer. Et c'était prouvé, je l'aimais moins quand il était au milieu des siens. C'était Jean-privé que j'aimais, Jean-célibataire, Jean-sans-terres-et-sans-filles, et sans-ancienne-femme. C'est comme cela une famille, cela se reconstitue, même s'il y manque un élément. Il manquait Mireille, mais Mireille était présente. Elle régnait dans chaque pièce, avec son goût à elle, ses tentures « coq de roche » (aïe!), ses détails décoratifs tragiquement ingénieux qui pouvaient aller jusqu'à me foutre mal aux dents, son fichier de recettes dans la cuisine, où pas un plat n'était dépourvu d'ail (aïe!), et son avarice quant au P.Q. dans les chiottes : celui-ci était de la catégorie la plus inférieure, j'en atteste. Oui, cette maison aurait dû s'appeler : « Chez l'ancienne femme de Jean. » Et il était évident que celui-ci, qui se retrouvait là au hasard des week-ends, rentrait chaque fois dans son ancienne peau d'ancien mari de Mireille, comme on enfile sans y penser un vieux chandail à votre taille. Même son vocabulaire n'était pas le même. Et si encore j'avais pu m'y faire, à ce vocabulaire! Mais il n'en était pas question. Ne serait-ce que les noms dont il affublait ses deux grandes fillasses! Des vieilles habitudes de noms tout chargés de leur poids de tendresse et qui ne changeraient jamais. « Mon petit... » Mon petit quoi déjà? « Mon petit Canard, mon petit Poulet » ou sinon – il n'y a pas de doute – c'était « mon petit Lapin ».

J'avais prétendu pour mon bien-être que Maîtresse d'après t'appelait « mon Loulou » et ce n'était pas vrai, mais, dans ce cas-ci, je maintiens mon affirmation, la tête haute : « Petit Canard » et compagnie, je n'invente rien. Et à ce propos, j'y pense soudain à Maîtresse d'après, j'étais sa Mireille chez toi. Il n'en suffit pas plus, peut-être, pour détester? En fin de compte, vous avez toute ma sympathie, Maîtresse d'après. Non, rectification : un peu de ma sympathie.

Dès la préparation du premier repas, j'ai su qu'il ne fallait pas compter sur petite Lapine et Poulette : elles avaient d'autres chats à fouetter. L'une se lavait les cheveux (elle a passé son samedi-dimanche à ce faire, et cela leur réussissait d'ailleurs à ses cheveux, ils étaient beaux comme auraient dû être ceux de son père : Jean était quelqu'un fait pour avoir plein de cheveux et qui n'en avait plus que quelques-uns), et l'autre était barricadée dans sa chambre et, au son d'une musique pas du tout de chambre, « travaillait » avec un ami qui avait une tête à faire un autre genre d'études. Alors, pendant ce temps-là, les « vieux », papa Jean et moi, nous épluchions les haricots verts dans la cuisine secouée comme nous par les ululements de chacal sur fond de cuivres à l'étage au-dessus. Et Jean, pov' Jean, essayait de me mettre à l'aise :

– Ça ne te gêne pas, j'espère, cette musique (!!!)? Tu sais ce que c'est, quand on ne voit ses filles qu'une fois de temps en temps, on n'est pas là pour leur faire des reproches.

Je lançais des haricots dans la casserole en murmurant quelques mots insincères.

– D'ailleurs, continuait pitoyablement Jean – et, quoi qu'il dise, je le plaignais d'avance pour la façon dont j'allais réagir –, d'ailleurs, c'est une maison de vacances ici, chacun fait ce qu'il veut. Que voudrais-tu faire ?

Bien voilà, justement, c'est que je n'avais rien envie d'y faire, moi, dans cette maison.

– Promène-toi dans les pièces, mets-toi à l'aise. Ce n'est peut-être pas à ton goût mais on pourra changer des choses..., quoiqu'il y ait certains meubles de mes parents...

Oui, dans la salle à manger par exemple, le buffet dangereusement Henri II-1900 était sans nul doute de ces meubles-là, incrustés dans le sol de toute leur lourde vilenie et destinés à y rester. Ne serait-ce que pour le buffet Henri II, je sentais bien, moi, que je n'étais pas destinée à rester. « C'est Mireille qui a tout installé après la mort de mes parents », m'avait dit Jean un jour, quand je le connaissais à peine, à l'exquis moment où nous déroulions toute notre vie passée pour l'autre, comme un ruban. Je me foutais à jamais, croyais-je à cette époque, des fris-fris qu'avait pu disséminer dans la maison de mon amant de passage l'ancienne femme du susdit. Mais, ce jour-là, j'y faisais plus que passer à Castel-Béton. Dans « leur » chambre par exemple, celle où ils se relayaient et où j'allais avoir à dormir cette nuit-là, il y avait sur la commode toute une famille de poupées provençales – on ne s'appelle pas Mireille pour des guignes – comme des statuettes paysannes du Dr Freud (à chacun son niveau d'esprit), à me donner des cauchemars pires que ne pourrait le faire King Kong en personne : le grand-père courbé par les ans, un fagot poussiéreux sous le bras, la jeunesse en jupon troussé, mémé assise devant un fricot mangé aux mites (toutes ces gracieuses effigies étaient en laine et ce n'était pas d'hier que Mireille les avait installées là), le bambin à figure écarlate pendu aux basques d'une lavandière à fichu et, pour n'oublier personne, le marin hilare, sa bouteille plus grande que nature à la main. « Euh... Tu dors toujours avec tous ces gens-là ? » avais-je envie de demander à Jean, qui était tellement habitué à leurs affreux profils que, le bienheureux, il ne les voyait plus.

C'était touchant, pourtant, cette façon tiède et brave qu'ils avaient de supporter les traces de l'autre. Je m'étonnais de la facilité de Jean à croiser sans gêne les preuves disséminées de la présence de son ancienne femme : les pantoufles à pompons derrière le plastique couleur glaire (bravo, Mireille !) de la douche, et la robe de chambre en nylonette mal fleurie pendue dans l'armoire.

Avant de m'endormir, je me suis assise au bord

du lit conjugal, tandis que le bruit fatal des trompettes de la protestation continuait à sévir dans les quartiers de Poulette et Canarde, et je me suis dit tristement : « C'est pas mon air ici. » Quand on a déjà une famille à la maison – même si on l'a quittée, cette maison –, entrer dans un nouveau langage, prendre d'autres habitudes du cœur, entendre voleter autour de soi des jeux de mots, des souvenirs, des évocations qui vous disent « tintin », ne pas faire l'omelette comme eux – « Moi, ma mère bat toujours un blanc ét frotte le bol d'ail » – et ne pas oser signaler qu'on aime mieux sa propre façon, bref se sentir sans cesse chez les « autres » comme une domestique du début du siècle qui ne devait pas changer les meubles de place dans sa chambre, non, c'était impossible. Je voulais bien de Jean, mais seul. Et il s'avérait qu'il n'était pas livré comme cela. Il fallait prendre le paquet entier, emballage compris.

Ne pas oublier pour ma défense que j'avais déjà adopté Jonas, moi, vingt ans plus tôt. J'étais un vétéran du cœur maternel innombrable, j'avais fait mes preuves au combat. Mais là, pour les deux grandes choses de Jean, des choses déjà à peu près terminées, de mon sexe, oui d'accord, mais si loin de moi, si mireillisées, c'était beaucoup me demander que de les aimer spontanément ou même à tempérament.

Nous sommes repartis le dimanche soir avant le dîner et Jean m'a demandé pourquoi j'étais rêveuse. Ses filles n'étaient pas mignonnes? On allait s'entendre, je verrais, c'était normal, elles avaient été sur la défensive par timidité, mais cela passerait. Il se réjouissait de l'influence que j'aurais sur elles. Je ne devais pas oublier que leur mère ne leur parlait jamais de rien, qu'ils s'étaient mariés, elle et lui, trop jeunes, parce que Mireille était enceinte, et, quoiqu'il eût été très amoureux à l'époque, il y avait vite eu incompatibilité entre eux. Les enfants en avaient pâti. C'est pourquoi il avait tenu à garder en communauté la maison de ses parents, pour maintenir un lien. Mais quand nous serions mariés, naturellement, tout cela devait être reconsidéré...

Pauvre Jean, si noble, si digne et compréhensif, je me trouvais vilaine, tandis que nous roulions vers Paris, de ne pas savoir répondre les phrases lénifiantes qu'il attendait. Je t'avais quitté pour lui, me répétais-je, et j'avais eu raison. J'aimais maintenant un être d'une façon qui n'empiétait pas sur ma liberté, je me sentais enfin adulte depuis que je vivais à ses côtés et je réalisais à quel point était agréable et encourageant notre compagnonnage de travail. En échange de tout cela, ce n'était pas trop me demander que d'accepter élégamment son autre vie, ses enfants et même dans l'ombre sa Mireille. Nous avons longuement débattu de tout cela, Jean et moi, ce soir-là et les jours et les mois qui ont suivi. Je ne suis jamais retournée dans leur maison, mais j'ai revu ses filles plusieurs fois et je dois avouer que nous nous sommes mieux entendues tout en restant chacune sur nos positions.

C'est cela, nous sommes tous restés sur nos positions. Car, si j'avais été déçue par lui à Castel-Béton, je crois que Jean, de son côté, avait été choqué par ma sévérité sans nuance et par l'œil intransigeant que je lançais, au delà de lui, sur le berceau de son passé, les meubles de sa mère, les souvenirs de ses amours et avant tout sur ses propres enfants.

Nous sommes demeurés très proches après cet épisode, encore bien heureux ensemble, mais dorénavant conscients de nos limites et, d'un commun accord, les mots mariage, ou autres engagements définitifs, ont été radiés de notre vocabulaire, au fur et à mesure que je comprenais de mieux en mieux que, si j'avais cru te quitter pour un autre, en fait je t'avais quitté pour moi-même, Thom. Et le délicieux nouvel amour avait été un moyen d'en arriver là plutôt qu'une fin en soi. Il m'a fallu du temps pour l'admettre, mais j'étais devenue quelqu'un qui ne voulait, qui ne pouvait plus se percevoir en fonction d'un homme.

Pierre s'en est allé ce matin, buté fermé, tous ses tragiques *comics* bien rangés dans son grand sac mou. Je l'ai embrassé parce que j'étais bien contente que Pierre s'en aille. Avec un peu de chance, il ira aux U.S.A., si tant est que cette sorte de gens fasse ce qu'elle affirme vouloir faire. Déjà il a changé la date de son départ potentiel et quand, au moment des adieux, Valentine lui a mis les bras autour du cou, il a grommelé :

– Tu me téléphones dès que tu arrives à Paris.

Le dernier mot n'est pas dit. Mais, à la fin du premier acte, je suis contente du dénouement provisoire. Il avait une odeur fade quand je l'ai embrassé, une odeur tiède. Comme je n'ai jamais fumé du hasch ou du je-ne-sais-quoi, je ne peux pas dire que c'est « ça ». Je me le reproche, d'ailleurs, de n'avoir pas fait cette expérience. A la soirée porno en Amérique, on aurait dû...

– Est-ce que Pierre fume ? ai-je demandé à Valentine quand celui-ci eut fermé la porte de sa voiture.

– Tu n'avais qu'à le lui demander, m'a-t-elle répondu.

Oui, c'est vrai, je n'avais qu'à...

Depuis que Pierre est parti, ma fille est calme et un peu lointaine : une espèce d'indifférence transparente. Mais elle ne m'en veut pas. On s'entend. Nous avons parlé de toi, ce matin, nous avons parlé de toi naturellement, sans y penser pour ainsi dire. C'est la première fois. On était assises à la table après le petit déjeuner et ni l'une ni l'autre, chacune le sentait, n'avait envie de se lever.

– C'est d'accepter l'éternel d'une situation qui est insupportable, a dit Valentine. Au début, on ne réfléchit pas à cela. C'est une mort comme à brève échéance. Maintenant je me mets à oser m'avouer que c'est une mort pour toujours. Je me réveille la nuit et je me répète jamais, jamais plus. Et puis, a-t-elle ajouté, je me mets à rêver de lui. Pas gai non plus, cela.

Je lui ai assuré que cela le devenait, gai. J'adore rêver de Véra-Victor, cela m'arrive très souvent. Je revis des situations de mon enfance avec eux. Je revois des détails de notre appartement que j'avais oubliés à l'état de veille, ou l'inusable chemise à carreaux de Victor avec son col « pan de chemise » à laquelle je n'avais pas pensé depuis dix ans. Soudain cela est là, tout vivant. Valentine ne me croit qu'à moitié.

– C'est parce que tu es une fana du passé, dit-elle, que tu y trouves du plaisir. Moi, en fait, je n'aime que le présent, ou l'avenir.

– Comme ton père, ai-je répondu.

Elle aime s'entendre dire cela.

– Si j'ai un fils, il s'appellera Thomas.

– Oui!

J'ai lancé ce mot si clair et haut que Valentine s'est tournée et m'a regardée, un peu interdite. Je m'en étais convaincue le matin de ta mort, tu te... (Ah! comme c'est énervant, vieux disparu, d'avoir toujours envie de dire : « Tu te souviens? ») Je n'ai pas raconté à Valentine ma furtive pensée de ce matin-là. Il y a l'impartageable.

Cela fait du bien d'être à nouveau « nous deux » seulement, dans Glenmara. Quelle chance que Pierre ne soit pas resté pour la fermeture! C'est sûr, j'en aurais fait une histoire au fond de moi.

Après déjeuner, Simon a téléphoné. J'ai répondu. Nous avons échangé quelques mots affectueux.

– Il fait beau? J'aimerais être avec vous, a-t-il dit.

– Et moi, j'aimerais bien que vous soyez là.

J'étais sincère. On se dit « vous », Simon et moi, mais je me suis toujours sentie à mon aise avec lui. Une chance! ou une malchance si on me le reprend, si on me l'enlève pour en mettre, même provisoirement, un autre à la place. Ces échanges-là ne sont jamais standard.

J'ai appelé Valentine par la fenêtre. Il fait très mauvais mais elle était sur le point d'aller se baigner. Les derniers jours à Glenmara sont chaque fois l'objet d'un rituel de mots et de gestes. On va se baigner encore une fois à la plage blanche. On va dire un mot amical à Maureen O'Leary – autrefois on lui souhaitait d'avoir un beau garçon, ce qui a tout de même fini par arriver : pendant longtemps Maureen a eu une fille chaque année, il y avait toujours un nouveau berceau à côté de la cheminée quand on revenait l'été d'après. On passe devant le cottage de miss Collins, avec sa rose trémière à droite et son fuchsia à gauche, et on crie un peu fort : « Miss Collins! » Elle devient de plus en plus sourde, miss Collins, et lorsqu'elle apparaît on est chaque fois étonné que ce soit une petite dame sur le pas de la porte et pas un lapin rose avec un tablier et un fichu ou un hérisson à collerette, comme dans les livres pour enfants anglais, son cottage a tellement l'air d'une image. Alors, Valentine était déjà sur la route pour aller à la plage blanche, un peignoir en baluchon sur l'épaule.

– C'est Simon! ai-je crié.

Elle s'est mise à courir vers la maison, puis elle s'est enfermée dans la cuisine, et ils ont parlé longtemps.

J'écrivais une lettre à Solange, je n'ai pas relevé la tête quand elle est revenue. Solange en a marre et ose maintenant me le dire. Toute sa vie, elle a eu trop d'enfants et pas assez d'argent et maintenant il lui apparaît qu'il ne lui reste non plus pas assez de temps. La vie a coulé et elle n'y a jamais fait que la même chose : bercé-nourri-bordé-tricoté-reprisé-bordé-nourri-bercé. Coup sur coup, suivant son exemple, sa fille aînée, qui a l'âge de Valentine, vient d'avoir son « deuxième » et Solange se reprend d'une main lasse à bercer-nourrir-bor-der...

« Xavier ne se rend compte de rien... », écrit-elle. Ça me fait mal. Et quoi lui dire? Cela serait comme de lui annoncer qu'elle a une maladie maintenant inguérissable. Bien sûr, si elle avait pu être prise à temps... « Ma pauvre chérie, tu es atteinte d'une féminité aiguë à évolution inéluctable. Tes jolies jambes de danseuse sont devenues des poteaux, tu n'as ni l'argent ni le loisir d'aller te faire faire un masque de beauté ou des rayons trucs chez Carita, de ces traitements qui tout au moins vous rajeunissent l'âme, et il est de plus en plus probable que Xavier ne t'emmènera pas en Inde où tu rêvais tellement d'aller étudier la gestuelle chorégraphique quand nous avions quinze ans. Xavier aime mieux retourner chaque année avec ses frères et sœurs dans la propriété familiale à La Baule-les-Pins, qui est devenue une usine à vacances avec une " Villa Coquette " ou un " Pavillon Mon Plaisir " tous les centimètres et un neveu ou une nièce de Xavier – y a pas d'exception, tout le monde y pond dans cette famille – tous les trois pas dans le jardin. »

« Aux Indes, ma biche ? » Xavier se croit tendre parce que depuis vingt-cinq ans, quand il veut se prouver qu'il l'est, il appelle sa femme « ma biche ». « Aux Indes, ma biche ? Mais qu'est-ce qu'on irait faire là-bas ? Il paraît que la misère y est insupportable et puis toi qui n'aimes pas la chaleur... »

Non, tu n'iras pas aux Indes, la biche de Xavier, ni à l'Opéra de Marseille assister à la reprise du *Jeune Homme et la mort*, livret de Jean Cocteau, musique de Jean-Sébastien Bach, que tu aimais tant à dix-huit ans, ni revoir *Les Forains*, musique de Henri Sauguet, décors de Bérard. Tu as tenu quelques jours, en remplacement, le rôle de la petite fille – aux temps heureux où tu étudiais chez cette princesse russe, « chorégraphe à la cour », disait-elle toujours en broyant tous les « R » sur son passage, et qui te promettait un grrrand avenirrre –, la petite fille qui vient en courant rechercher la cage oubliée, en partant, par les éternels voyageurs qui ont repris tristement la route, fortune pas faite. Tu étais si jolie, Solange, avec tes cheveux bruns sur la figure, serrant la cage à la colombe contre toi.

« A l'Opéra, biquette ? » Ça, c'est le petit nom d'en

dessous, quand Xavier se reconnaît le droit d'être moins affectueux. « Mais tu sais bien comme je suis fatigué le soir, avec tout le travail que j'ai. Quand je rentre, je n'ai qu'une envie, c'est de... Toi, bien sûr, qui restes à la maison... » Non, Xavier ne s'est jamais rendu compte de rien et ça l'arrange bien. Alors, j'écris à ma meilleure amie « malgré tout » car, à force de n'avoir pas suivi des destins comparables, on finit par avoir de plus en plus de mal à se rencontrer quand on se voit. Je lui raconte que Glenmara s'ennuie d'elle, que l'arbre où nous montions est toujours debout malgré la foudre qui a cassé notre grosse branche, notre branche-salon dans l'enfance, mais que l'année prochaine, oui, il le faut absolument, même si Xavier se méfie de moi depuis que j'ai quitté mon mari, elle viendra en Irlande « faire la fermeture ». Où serons-nous tous l'année prochaine, Thom, quand tu seras mort depuis déjà douze mois? Valentine vivra-t-elle avec Simon?

Elle vient d'entrer dans ma chambre, un grand ballot de vêtements sur les bras, m'interrompant sans pitié dans mon silence :

– Qu'est-ce que je mets?

Ce soir, nous allons dîner chez « les gens d'à côté » : avant de les connaître, on les appelait comme ça, c'est devenu leur nom, on fait exprès d'oublier l'autre.

– Alors, raconte, qu'est-ce que je mets?

Elle me regarde, inquiète, comme si la question était grave, plus grave que celles que je me pose à son sujet. Je sais de longue date qu'elle choisira de ne pas choisir ce que je lui conseille, je m'amuse à ratifier ma certitude.

– Mets ton pantalon blanc que tu avais l'autre soir au pub.

– Il est trop large, t'as pas remarqué?

– Ta robe en toile verte?

– Une robe en Irlande? Beurk!

Inutile de demander : « Alors pourquoi avoir apporté en Irlande une robe en toile verte? »

On va passer comme ça en revue tout ce qui est par terre, puis elle ira chercher dans son armoire quelque chose d'autre que je n'aurai probablement jamais vu. Je ne me plains pas, c'est encore un de ces rituels qui lient le temps au temps, qui font l'échelle de corde avec ce qui fut.

Tu n'aimais pas « les gens d'à côté », Thom. Ça aussi, c'était une habitude de l'époque où tu venais à Glenmara. Tu te plaignais bruyamment pendant quelques jours avant d'aller dîner chez eux, et lorsque je finissais par les inviter à mon tour. Moi, ils m'ennuient un peu aussi, c'est vrai. Mais ils sont dans mon paysage, on est des géographiquement proches, cela compte ça aussi, j'ai fini par m'attacher à eux depuis plus de quinze ans maintenant qu'ils reviennent chaque été. Je n'avais jamais rencontré le frère avant l'autre jour, sur la plage. Tu l'aurais peut-être aimé, Thomas. Non, il est plutôt beau. Tu n'étais pas fou *a priori* des hommes beaux.

– Tu paries? Il y a des choux à dîner, de Bruxelles, dit Valentine tandis que nous marchons sur les graviers bien ronds du jardin des A-côté. Je les sens d'ici. Pas toi?

Elle exagère. Ça fleure la mer salée, le coquillage qui se referme, l'oiseau de nuit frôleur et la pomme encore verte. Les Bruxelles les plus agressifs ne peuvent pas rivaliser avec cela.

On dirait que la maison vient à nous, elle était

invisible il y a une minute et maintenant elle s'avance. J'aime bien la maison des A-côté, elle a un profil lourd et réconfortant, une vraie demeure sérieuse campée dans sa verdure. Il pleut une pluie douce au visage qui ne mouille pour ainsi dire pas. Je ne sais pas pourquoi, il y a longtemps que cela ne m'est pas arrivé, je me sens tout à coup dans un de ces moments où rien que le fait d'exister est un bonheur. J'ai envie de demander à Valentine : « Tu ne trouves pas que rien que le fait d'exister est un bonheur? » Mais cela lui rappellerait que tu n'existes pas, Thom, et il y a des moments où il vaut mieux ne pas le savoir trop. Je lui prends seulement le bras, à ma fille, et je dis :

– Je suis bien.

– Et moi.

On se sépare, on a eu notre compte d'émotions ces jours-ci.

Patrick d'A-côté ouvre la porte et baisse un peu la tête pour nous tendre ardemment les deux mains, à croire que nous lui avons manqué. Tiens, sa triste calvitie hésitante a un peu gagné de terrain depuis l'année dernière.

– Sois les bienvenues, dit-il dans son français écolier dont il insiste toujours pour nous faire profiter des maladresses.

Et puis il se met à rire fort. C'est un de ces Anglo-Saxons pour lesquels le rire c'est l'homme. Il rit de ses propres plaisanteries avant et après, il s'esclaffe dans les silences, il se gondole quand ce n'est pas drôle. Il pouffe par timidité comme on met un masque.

Bien entendu, puisque c'est nous qui habitons le plus près, nous sommes arrivées les dernières. Le fils de la maison donne une bourrade cavalière à Valentine :

– Tu vas venir encore à la pêche avec moi avant de repartir, hein, *old girl* ?

Cette façon qu'ont les jeunes Britanniques de se méfier de la tendresse vis-à-vis des femmes! La femme fait peur au jeune Britannique. Valentine fléchit légèrement sous la poigne et dit oui.

Le Dr Sullivan et madame sont de la fête. Madame a encore grossi. Chaque fois que je la vois, je me dis : « Toi, ma petite, je te mets à la carotte à l'eau dès demain. » Et puis, demain, j'oublie. A part cela, il y a toute la colonie des gens du mois d'août. Ceux que l'on rencontre sur le port ou aux crevettes, déguisés en marins loqueteux. Je les aime bien, mais je fais des efforts pour ne pas trop frayer avec eux. Je suis devenue misanthrope depuis que je t'ai quitté, Thom, depuis que je n'ai pas à te suivre dans des cocktails ou à donner des dîners pour des inconnus. Je n'aime plus que les amitiés profondes. Pas le temps pour le reste.

John Grady traverse la pièce, les bras ouverts. « Daaaarling! » Il m'embrasse. John Grady embrasse tout le monde. Ici il fait figure d'oiseau rare, une tache amusante dans une société convenue. Je crois que c'est vraiment un décorateur en vogue à Londres, enfin il l'affirme. Il appartient à cette espèce de jeune lion doux qui n'a comme virilité apparente qu'une abondance de poils noirs presque préoccupante sur les avant-bras et probablement sur le torse, car on aperçoit, surgissant de sa chemise gardée généreusement ouverte par tous climats, une touffe d'herbes sombres et drues qui, n'aurait-il pas, par ailleurs, la peau si fraîche et rose que sa moustache rase semble incongrue sur son visage, lui donnerait l'air d'un diablotin sardonique. John Grady est un homosexuel glorieux et, pour afficher sa spécialisation, il joue à l'excès de sa voix, passant sans cesse de l'alto au contralto pour traverser ainsi la conversation des gammes chromatiques de son rire où dominent les gais sanglots aigus. Le frère est là. Très grand. On imagine qu'il a peut-être été un jour d'une maigreur de chat sauvage, maintenant il est rond de partout. Des yeux globuleux comme assoupis de naissance, une bouche immobile de statue gréco-indienne et, incongrus comme si on s'était trompé à la distribution et qu'ils appartenaient à quelqu'un d'autre, des pieds menus et des mains replètes de curé propre. A l'aise dans l'intérieur de sa peau, il regarde autour de lui et se tait. Je m'approcherais bien, mais ce n'est pas dans mes mœurs d'aller parler aux hommes auxquels j'ai envie de parler. A mon âge, c'est parfaitement idiot. Nous échangeons un regard de sympathie.

Le salon des A-côté a cette grâce mesurée et charmeuse des salons anglo-saxons pur sucre : toiles fleuries légèrement fanées sur les fauteuils confortables et dont certains s'illustrent comme exprès, quoique cela soit probablement un des méfaits de l'usure du temps, d'un dessin subtilement différent de son voisin. Sur celui où je m'assieds, le grand oiseau multicolore en douceur, qui étale son plumage bien peigné à travers les coussins, n'est pas tout à fait de la même cuvée que celui qui volette sur le vaste divan avachi. Le feu crépite en sourdine dans la cheminée cerclée de cuivre, et les flacons tintent du juste bruit du cristal quand le maître de maison les manie en riant. Je suis loin, l'exil, c'est les autres.

Tandis que les verres se vident et se remplissent, les questions d'usage et de bon usage s'échangent selon le rite prévu : « Vous avez fait couper votre haie, Iris? Nous, O'Rouk s'obstine à ne pas venir s'occuper de la nôtre... Avez-vous été aux crevettes?... Mardi, nous en avons pris un kilo, n'est-ce pas, dear?... Il paraît que Mac a eu des homards au casier, hier... Saviez-vous que la fille du pub, celle qui joue de l'accordéon, est fiancée?... » Chacun veut avoir sa nouvelle fraîche. Nous feignons tous très fort d'appartenir à notre village d'adoption. C'est-à-dire, en quelque sorte, d'être de la même famille.

– A table! dit enfin Suzy d'A-côté. Vous devez avoir faim?

Elle promène un sourire encourageant sur l'assistance puis se lève et va ouvrir la porte de la petite salle à manger où sautille la flamme des bougies. La fenêtre est ouverte. Je frissonne, mais ils n'ont jamais froid, eux. Puisque c'est encore l'été, et ce détail suffit amplement à déterminer l'habillement dans ces contrées, notre hôtesse a même mis une jupe très courte et ses jambes nues et grenues dépassent de sa robe telles deux bouteilles de lait bleu pâle. Sur ses bras, nus aussi, sa peau est opalescente comme celle d'un merlan à mi-cuisson. Est-elle bien sûre d'être la sœur de son boucané de frère?

C'est exact, cela sent de partout le chou de Bruxelles trop bouilli, comme chez d'autres le bois de santal de chez Guerlain, un parfum d'ambiance, quoi. Bon, le frère a été placé à côté de moi. De plus près, Valentine a raison, il a un visage paisible et secret de bouddha sage. On jurerait qu'il a un passé intéressant. Ne me détrompez pas, frère de Suzy. Comme malgré lui, cela ne doit pas être le genre poli avec les dames, celui-ci affiche un bel air absent en m'aidant à tirer ma chaise. Faites que l'on ait quelque chose à se dire, frère de Suzy.

En face de moi, le Dr Sullivan, qui préfère rester

au whisky – « *good stuff*, cela n'a jamais fait de mal à personne » –, se sert généreusement une rasade du flacon posé devant lui – on connaît ses habitudes ici – et, son verre plein, il me sourit avec la bénignité que procure l'alcool.

Ils sont accueillants et gais mais ce n'est jamais bon chez les A-côté. Valentine, à l'autre bout de la table, me fait les yeux ronds. « J'aime pas ça », disent ses yeux, qu'avec un reste d'enfance elle imagine invisibles, et puis, vaincue comme nous tous, elle se met à lutter avec les bouchées à la reine en carton friable – *french cooking*, a pris la peine de nous signaler Suzy – farcies d'une sorte de cotonnade humide finement hachée dans une sauce blafarde et rêche où font tache quelques champignons en caoutchouc noir. On arrive à faire tant de choses... c'est peut-être du poisson, la cotonnade? J'ai tout à coup une envie irrépressible de donner un coup de pied dans la table, de me lever et de retourner chez nous pour lire les poèmes de Yeats que j'ai retrouvés tout à l'heure dans la bibliothèque de Victor. En m'en allant, je dirais à Suzy que c'est parce que sa sauce est flanelle. Pour me donner des forces, je m'oblige à réciter lentement, tout bas, les vers de Yeats : *I will arise and go, now*. Non, ça prend pas. Il ne me reste plus qu'à tâter le terrain de mon voisin avec le poète. Flûte! partie remise, la maîtresse de maison se lève pour aller chercher le plat suivant. L'autre femme et Valentine ont participé au service de la première catastrophe. C'est mon tour. Je déteste me lever de table chez les autres et je refuse que mes invitées, c'est le plus souvent elles qui se proposent, les pauvres biques, le fassent chez moi, mais allons-y.

Dans la cuisine, Suzy est déjà en train de perpétrer le crime légendaire de l'antigastronomie à l'anglaise. Penchée sérieusement sur une casserole, elle agite une bouteille et mélange à de l'eau chaude l'épais liquide sombre qui sort du goulot par gros grumeaux mous. En un mot, elle « fait la sauce ». *La* sauce à tout faire et à ne rien pouvoir manger, celle que Voltaire aurait pu fustiger encore plus acidement, l'eût-il connue en boîte, alors que, les deux oiseaux secs déjà dépecés, des canards en toute probabilité, j'aperçois leur jus, riche de sa substantifique moelle, se figer dans le plat de cuisson avant de passer sous le robinet, ou d'être offert au chat. J'ai envie de dire : « Donnez-moi donc ça plutôt qu'à votre bête, j'en ferai un consommé chez moi. »

Suzy tire sur l'élastique de ses joues et tend à nouveau son bref sourire.

– Pouvez-vous prendre les choux de Bruxelles et les poser sur la table ?

Elle me remercie comme si je l'avais sauvée du naufrage avec toute sa famille. L'Anglo-Saxon a le remerciement effusif, en particulier pour les détails sans importance. Si elle savait ce à quoi je rêve, elle garderait ses superlatifs pour une autre occasion. Je rêve ? C'est plus que ça, je suis saisie d'une urgence irrésistible de faire tomber le plat. Mon goût de la catastrophe domestique me reprend en force, cette tentation du petit drame qui me titille depuis l'enfance : faire « oh ! » l'air stupéfait, et regarder rouler à terre en tous sens les petites boules nauséabondes. Jean aurait été avec moi, je crois que j'aurais enfin eu cette audace. Juste le genre de chose qu'il aime. Mais je n'ai plus de Jean avec moi, et puis le légumier est joli, en fine porcelaine fleurie ; je ne veux aucun mal au légumier. La prochaine fois... C'est ça.

Le dîner s'étire. Mais maintenant je parle avec le

bouddha. Il est sorti de son mutisme pendant que nous ingurgitions à contre-gorge la crème mollement renversée qui fait office de dessert. Il a quelque chose à dire sur Yeats. Il se met à expliquer sa *Deirdre* :

— Quiconque pense que les Irlandais étaient heureux avant d'être envahis par les Anglais devrait lire *Deirdre des douleurs*, murmure sombrement mon voisin.

Puis il récite très bas quelques vers en prenant bien soin de cacher son émotion. C'est décidé, si me revient mon envie de filer à la française, je l'emmène avec moi. Valentine me regarde comme une mère considère son enfant à un goûter, avec une bienveillance attendrie : « C'est bien, la petite s'amuse. » Zut! ça se voit donc que je m'amuse? Tant pis, j'ai le droit. Valentine me sourit des yeux. On est proches quand on est loin. C'est ma complice, même quand elle ne m'aime pas. Et puis, d'ailleurs, l'important, c'est que je l'aime.

— Yeats, reprend mon voisin, Yeats était...

Je me tourne vers lui. Ses yeux globuleux sont jaunes, la couleur qui n'existe pour ainsi dire jamais en matière d'œil.

Suzy se lève, le charme est rompu.

Le Dr Sullivan s'empare du bouddha aux yeux jaunes. Il le tient par le revers pour ne pas qu'il se sauve. Inutile de se donner tant de mal : Bouddha le suit complaisamment. Il ne lance même pas un long regard de regret dans ma direction. Je vous revaudrai ça, si jamais nos chemins se recroisent! Les femmes vont « poudrer leur nez », c'est leur façon de faire pipi. Les femmes font sans cesse pipi dans les îles Britanniques. Les hommes échangent des histoires mâles. Même John Grady essaie de jouer le jeu, puis il s'ennuie trop, il vient vers moi :

– Je ne vous ai pas encore vue depuis mon arrivée. Vous vous cachez?

« Oui, oui, je me cache, je suis très occupée à penser à mon ancien mari qui est mort... » Cela serait bien si on pouvait dire sa vérité dans les dîners. John regarde son bracelet-montre avec ostentation :

– Oh, darling Suzy, il faut que je m'en aille.

Il va à la pêche demain et doit se lever à cinq heures pour retrouver le marin. Il soupire sérieusement comme si c'était une corvée inévitable et non une joie. Son geste donne le signal du départ.

Bouddha marche à côté de moi dans le long vestibule.

– J'aimerais bien consulter cette édition dont vous m'avez parlé.

– Venez prendre un verre demain.

– Oui, dit-il.

Tiens, je suis contente.

Nous rentrons bras dessus, bras dessous, Valentine et moi. On marche lentement afin de profiter un peu plus longtemps du bruit de la mer. Sa voix du soir n'est jamais la même. Avec son poignet clair, Valentine fait comme une volute de luciole dans la nuit. Elle me regarde dans l'ombre et elle dit :

– Tu ne t'es pas ennuyée, hein, ma-man? Ça te va bien de parler à un homme, tu devrais le faire plus souvent.

Tiens, elle me permet les hommes maintenant?

– Ce n'était pas un homme, c'était un esprit.

– Bon, comme tu veux : cela te va de parler aux esprits.

– Il vient demain prendre un verre.

– Oui, j'ai entendu. James m'a demandé d'aller au

maquereau avec lui : il sera sur le pas de notre porte à six heures, et ensuite il m'emmène chez des amis qui ont un bateau je ne sais plus où, pour manger le produit de notre pêche. On y passera la journée. Si tu entends un cambrioleur rentrer au milieu de la nuit, ne t'inquiète pas, c'est moi.

Le chien des O'Leary se met à aboyer.

– Il n'est pas attaché trop serré, dis-je, c'est à cause de la lune. O'Leary maintient que son chien engueule toujours la nouvelle lune.

– Mais nous, faut la saluer celle-là, et faire un vœu.

Cérémonieusement, Valentine s'incline plusieurs fois, elle récite une litanie inaudible. Ça me tente, je l'imite, mais je ne sais pas quoi bredouiller tout bas : « Glenmara-Glenmara-Bouddha... »

– Un écrivain, dis-je en me relevant. Enfin, plutôt un philosophe. Si j'ai bien compris, il y a longtemps qu'il n'est pas revenu en Europe. C'est pour cela que nous ne l'avons jamais vu chez les A-côté. Il a vécu aux Indes pendant des années.

Je pense à nouveau à Solange et à ses Indes inaccessibles. Etre riche et emmener Solange aux Indes. On pourrait prendre le bouddha comme guide.

– Simon aussi est un esprit, dit Valentine.

Elle m'embrasse sans plus dire un mot.

Déjà une demi-heure de retard. Eh bien, qu'il ne vienne pas, je m'en moque comme de Colin-Tampon. Si, si, l'expression Colin-Tampon existe, je me le promets. Je l'ai lue quelque part il n'y a pas si longtemps. Il me semble même que c'était dans la correspondance de Stendhal? Affaire à suivre d'urgence quand je serai de retour à Paris. Rien de pire comme petite torture intime que ces insidieuses questions d'origine littéraire qui vous rongent l'esprit jusqu'à ce qu'en soit trouvée la réponse.

Maintenant, ça fait trente-cinq minutes de retard, tirant sur quarante, je m'en moque comme de...

Ah bon, quand même! un coup sur la porte qui s'ouvre sans attendre.

Le bouddha entre avec la légèreté des gros. Enfin, il n'est pas énorme, disons plutôt important. Il se tient sur le pas de la porte et tourne la tête de chaque côté.

– Aïrisse?

J'aime la façon dont les Anglo-Saxons prononcent mon nom. C'est comme si l'on m'en donnait un autre que je préférerais. Il va s'excuser? Proposer une quelconque explication bidon? Bernique, il ne me tend même pas la main.

– Yeats était un pessimiste, dit-il tout de go, comme si notre conversation d'hier n'avait pas été interrompue.

C'est vrai, ne faisons pas de·confusion, il n'est pas venu pour toi, Aïrisse, il est venu pour consulter l'édition de Victor.

– Un pessimiste?

Je fronce le nez, l'air sincèrement préoccupé. Je me sens compassée comme une collégienne qui n'aurait pas appris sa leçon jusqu'au bout. Pourvu qu'on ne lui pose pas trop de questions sur ce poète qu'elle ne connaît qu'à peine.

Le livre est là sur le buffet de granny Brenda, mais je vais le faire attendre encore un peu, le bouddha, avant de le lui donner, histoire de le punir parce que je me sens compassée et puis aussi parce que je l'ai attendu, moi, tout à l'heure, ah! mais...

– Vous voulez un verre, William?

J'ai envie d'ajouter : « Un beau nom de fruit que vous avez là, William, et qui vous va assez bien. Vous êtes rond et velouté comme une poire. »

Poire-William veut bien un verre, plusieurs je dirais. Il me donne l'impression de savoir boire sec. (On devrait plutôt dire : « boire humide ».) En agitant les glaçons, je fourgasse dans ma tête pour retrouver une phrase du poème que j'ai lu hier soir en rentrant du dîner. Ça y est, je l'ai :

– *The woods of Arcady are dead and over is...* (zut! la fin du vers m'échappe) *and over is...*

– *Their antique joy*..., dit le bouddha, les yeux mi-clos.

Quand il les ouvre à nouveau et regarde au loin, ils sont embués, ses gros yeux jaunes. Il reste silencieux un instant, mais il me semble que, s'il se mettait à parler, cela serait pour avouer quelque chose comme : « Les mots me font pleurer, excusez-moi... » Non, il ne dit pas cela du tout.

– Yeats comprenait que l'époque des empires était révolue.

Il a prononcé la phrase très gravement.

Je pense tout à coup à Victor. Mais oui, c'est cela, depuis que je l'ai rencontré sur la plage la première fois avec les A-côté, il a emmené ma rêverie vers mon père. Ce n'est pas qu'il lui ressemble physiquement, Victor était plutôt du genre petit et sec, mais je retrouve quelque chose dans le ton de la voix, peut-être, du temps où Victor avait encore son propre timbre : une voix lente et comme lourde, où tremble parfois une fugitive émotion combattue.

Idiot de ma part, mais j'ai envie de lui dire, là, tout de suite : « Je ne sais pas encore vraiment

pourquoi, mais vous me faites penser à mon père. »
Allez! Je ne vais plus le lui faire attendre, son Yeats.
Je me lève et je lui donne le livre. Il le prend
presque brutalement et s'y plonge, le souffle un peu
court. Soudain, c'est comme si je n'étais plus là. Je
pourrais me couper les ongles des pieds ou aller
ranger bruyamment le haut de l'armoire, il ne le
remarquerait pas, j'en suis sûre. Il n'y a plus qu'à
attendre qu'il revienne. Je passe le temps en l'ob-
servant. Cela n'a pas l'air de le gêner du tout que je
le regarde comme cela avec indiscrétion. Cet homme-là s'appartient en priorité et les idées doivent
plus compter que les êtres pour lui, et les autres ne
peuvent pas le prendre. Si je n'éprouvais pas de
sympathie à son égard, il m'énerverait, je n'aime
plus les citadelles imprenables. Malgré moi, qui me
veux impassible, je tapote du pied.

Enfin il relève la tête. Il a un joli sourire doux. Cet
homme-là est possiblement égoïste, mais il n'est pas
méchant.

– 1893... C'est une édition rare. J'en avais vu une,
il y a des années, à Dublin...

– Elle appartenait à mon père. Mon père (soudain j'ai envie de répéter ce mot : mon père, mon
père, mon père...) était à demi irlandais.

– Cela ne m'étonne pas. Vos yeux...

Le bouddha m'a regardée cette fois-ci sans sourire. « Vos yeux », c'est pas des masses comme
signe de reconnaissance, mais qu'il sache déjà que
j'en possède deux est en soi assez rassurant.

On continue à discuter. On parle un bon bout de
temps, je ne regarde pas ma montre, moi qui
d'habitude n'arrive pas à m'abstraire de l'heure.
Pourquoi? Parce que je suis bien, voilà pourquoi. Il
s'agit de poésie en général et de Yeats en particulier
plutôt que de nous. En fait, je ne sais toujours rien

de lui, on ne parle pas de nous du tout, mais c'est intéressant. J'allais penser : « C'est intéressant quand même. » Il y a longtemps que je n'ai pas eu l'impression d'apprendre beaucoup de choses, comme en douceur, l'air de ne pas y toucher. Ces gens-là sont rares, qui vous informent mine de rien et vous épanouissent par surcroît. J'aimerais continuer à profiter de sa lénifiante présence. Vous n'allez pas vous en aller, Poire-William ?

Comme s'il répondait à la question que je n'ai pas posée tout haut, William récite à voix basse et je décide de déceler comme un regret dans sa voix :

– *I shall arise and go, now...*

Je vais me lever et partir. Voilà ce qu'il m'annonce et c'est la phrase de Yeats que je m'étais chantée hier tout bas au dîner, quand j'avais envie de filer plutôt que d'avaler la bouffe-Suzy.

Il continue :

– Ma sœur qui est un cordon-bleu (j' t'en fous !) est très ponctuelle pour les heures des repas. Je ne veux pas lui faire rater son... sa...

« Sa sauce flanelle », ai-je envie de répondre.

Avant de se lever, il hésite un moment.

– Euh... Vous partez demain, n'est-ce pas ? Je dois aller passer quelque temps à Paris le mois prochain pour rencontrer un éditeur qui envisage de faire traduire une étude que j'ai faite un jour sur les Grecs de l'Antiquité en Inde. (Ah ! enfin une information directe sur ses activités.) Pourrais-je vous faire signe ? Il y a encore beaucoup de poèmes dont nous n'avons pas parlé.

Mais bien sûr, le bouddha, faites signe, avec ou sans poésie. Je lui donne mon numéro de téléphone à la maison, mon numéro au bureau, pour un peu je lui fourguerais celui de la concierge et de Valentine.

Pas de malentendu, S.V.P., William, vous avez l'air d'un homme désordre et flou. Je parie que, comme Victor, vous n'avez même pas de carnet d'adresses. Il enfonce mon petit papier dans sa poche de pantalon. C'est bien ce que je pensais, l'affaire se présente mal. Maintenant il va vers la porte. Il marche lentement, aussi lentement qu'il parle. Je me demande s'il sait à quel point il est bizarre. Ce n'est sûrement pas par affectation, mais cet individu ne ressemble pas aux autres individus. C'est net. Et il est net aussi que j'aimerais bien le revoir.

Je retiens la porte avec mon bras.

– Oui, j'espère que vous me ferez signe, dis-je enfin. (Bravo, Iris, pardon, Aïrisse, ton courage t'honore.) Venez dîner dès que vous arrivez. (Si tu comprends pas, William, t'es vraiment poire, en effet.)

Son pas lourd dans l'allée. Les cailloux crissent. Je suis seule. Je me souris bienveillamment dans la glace. Je suis contente.

Valentine rentrera tard. Une chance au fond d'être avec moi ce soir, même si je redoute d'avance le scénario final et habituel de demain matin. Comme à l'accoutumée, Valentine bouclera ses bagages à l'aube et me volera dans les plumes si je l'exhorte à se dépêcher. C'est étrange, l'hérédité – ce détail aurait satisfait Victor –, Valentine a exactement le même comportement vis-à-vis de ses innombrables retards que sa grand-mère Véra, et comme celle-ci elle ne peut pas supporter qu'on lui en fasse reproche :

« Ah! surtout qu'on ne me dise pas de me dépêcher, menaçait Véra quand, encore une fois, nous étions sur le point de rater un train, ou sans cela je ne peux plus rien faire. »

Demain, nous ne raterons pas tout à fait l'avion, je l'espère, mais il nous faudra essouffler notre petite voiture pour arriver à temps à Cork où O'Leary, le cousin d'O'Leary, nous prête chaque année un coin de remise pour que la vieille deux-chevaux y champignonne jusqu'aux prochaines vacances. Et Valentine feindra de n'être pour rien dans ce combat contre la montre. Il n'est pas loin le temps – osé-je dire que je l'attends? – où elle retrouvera jusqu'au vocabulaire de sa grand-mère : « Ah! ne me dis surtout pas de me dépêcher... »

Oui, je suis heureuse d'être seule ici, pour rêver encore une dernière fois au temps et aux gens perdus et pour clore ce périple avec toi, Thomas. Il me semble que je nous ai à peu près tout dit et je me sens apaisée comme lorsque l'on vient de fermer un livre aimé. On en caresse la couverture du plat de la main. C'est bien dommage d'avoir tout lu. Mais certaines histoires sont interminables, on peut les recommencer sans fin, car l'amour, même au passé, c'est ce qui ne meurt pas, c'est ce qui ne s'oublie pas.

Rassure-toi, jeune homme, tu es parti et tu es là. Tu peux me faire pleurer comme au premier jour. Une larme dans la mer des chagrins humains, je sais, mais elle est intarissable. Et, en échange de cette larme, il faut que tu acceptes de t'estomper, Thom. Ne m'empêche pas d'être, veux-tu? Tu me rendrais service, monsieur de mon passé infini et présent à jamais. Pourrait-il en être autrement, même si je le voulais, avec ta fille, cette moitié de toi, ta continuité sur terre à mes côtés? Comme dans un de ces vieux contes celtes, de ceux que miss Collins lui racontait quand elle était petite, Valentine et moi venons de traverser une série d'obstacles pendant notre séjour ici, dont certains maléfiques, et nous nous sommes échappées de leurs pièges. Maintenant, il nous faut faire face à la nouvelle réalité, un monde sans toi où tu te dois, non, où tu nous dois de tenter de passer inaperçu. J'ai envie de vivre, Thomas, j'ai envie d'être légère et de regarder devant moi. Bien sûr, je ne veux pas t'oublier, mais tiens-toi à carreau. Ne me fais plus le coup de la domination. Tu avoueras, j'ai payé mon écot à ton pouvoir. « L'époque des empires est révolue », disait tout à l'heure William. (Qui sait? peut-être est-ce maintenant l'époque des bouddhas?) Et laisse Valentine tranquille aussi, s'il te plaît. Qu'elle s'occupe de Simon plutôt que de ton souvenir, qu'elle te pleure à sec, sans plus, ça suffit bien. Moi, quand je filerai, je ne veux pas qu'on ait trop de peine. L'amour que l'on a éprouvé pour les êtres, c'est-à-dire l'amour à vie, devrait remplacer le chagrin. Que cet amour-là soit le nôtre sans limite de temps.

— J'aime jamais entendre cette grille se fermer, dit Valentine. Quand on s'en va, on dirait qu'elle grince comme on pleure. C'est vraiment le seul endroit d'où je n'ai pas envie de partir.

— Ah, toi aussi?

Comme pour en accentuer le sanglot, Iris poussa un peu fort les deux battants contre la terre que les mauvaises herbes ne cessaient d'envahir.

— Avec tout cela, on ne l'a pas repeinte, dit-elle.

— Et l'album de photos!... Tu sais, maman, j'ai décidé maintenant de dire Thomas, comme tu dis Victor. (Valentine arbora un fier petit sourire.) Je ne l'ai pas terminé, l'album de Thomas.

222

– O'Leary n'est toujours pas venu pour le toit.

Valentine posa le sac de marin qu'elle tenait sous son bras pour tapoter l'épaule de sa mère.

– L'année prochaine, Mouche, l'année prochaine...

Achevé d'imprimer sur les presses de l'imprimerie Brodard et Taupin
58, rue Jean Bleuzen, Vanves. Usine de La Flèche,
le 10 avril 1985
1813-5 Dépôt légal avril 1985. ISBN : 2 - 277 - 21801 - 4
Imprimé en France

Editions J'ai Lu
27, rue Cassette, 75006 Paris
diffusion France et étranger : Flammarion